Marcovaldo
ou les saisons en ville

Italo Calvino, né en 1923, est un auteur italien bien connu en France pour de nombreuses œuvres, parmi lesquelles son fameux conte philosophique et fantastique *Le Baron perché*. Il a récemment publié *Si par une nuit d'hiver un voyageur,* où les récits s'entremêlent d'une étonnante manière. Le regard que Calvino pose sur les choses nous permet de reconsidérer le quotidien et de voir, dans la situation la plus anodine, un prétexte au rêve.

© *Julliard, pour la traduction française, 1979*
© *Giulio Einandi éditeur, Turin, 1958 et 1966*
Titre de l'édition originale : Marcovaldo ovvero le stagioni in citta
Dépôt légal : Avril 1982
Imprimé en France par SEPC à Saint-Amand-Montrond
Le 8 avril 1982 - N° d'Imp. : 627. - N° d'édit. : 6389.

Italo Calvino

Marcovaldo
ou les saisons en ville

Traduit de l'italien par Roland Stragliati

Nouvelles et romans de
l'école des loisirs

Venant de loin, le vent apporte à la ville des cadeaux insolites que remarquent seuls des êtres sensibles, ainsi en est-il de ceux que le pollen de fleurs de contrées lointaines fait éternuer.

Un jour, sur le bord de la plate-bande d'une avenue de la ville, tomba, on ne sait d'où, une volée de spores ; et des champignons y germèrent. Personne ne s'en aperçut, sauf le manœuvre Marcovaldo qui, chaque matin, prenait justement le tram à cet endroit-là.

Il avait, ce Marcovaldo, un œil peu fait pour la vie citadine : les panneaux publicitaires, les feux de signalisation, les enseignes lumineuses, les affiches, pour aussi étudiés qu'ils fussent afin de retenir l'attention, n'arrêtaient jamais son regard qui semblait glisser comme sur les sables du désert. Par contre, qu'une feuille jaunît sur une branche, qu'une plume s'accrochât à une tuile, il les remarquait aussitôt ; il n'était pas de taon sur le dos d'un cheval, de trou de ver dans une table, de peau de figue écrasée sur le trottoir que Marcovaldo ne notât et n'en fît l'objet de ses réflexions, découvrant ainsi les changements de la saison, les désirs de son âme et les misères de son existence.

Donc, un matin, alors qu'il attendait le tram qui devait le mener à la S.B.A.V. où il était homme de peine, il remarqua quelque chose d'anormal près de l'arrêt, dans la bande de terre stérile et encroûtée qui longeait les arbres de l'avenue : en certains points, au pied desdits arbres, on aurait dit que des bosses gonflaient, qui éclataient çà et là en laissant affleurer d'étranges corps souterrains de forme arrondie.

Il se baissa pour attacher ses chaussures et regarda mieux : c'étaient des champignons, de vrais champignons qui étaient en train de pousser au cœur de la ville ! Marcovaldo eut le sentiment que le monde gris et misérable qui l'entourait regorgeait soudain de richesses cachées et qu'on pouvait encore attendre quelque chose de la vie, en plus du salaire horaire contractuel, des contingences, des allocations familiales et de l'indemnité de transport.

A son travail, il fut encore plus distrait que d'habitude ; il pensait que, pendant qu'il était là à décharger des paquets et des caisses, les champignons, silencieux et lents, connus de lui seul, mûrissaient leur chair poreuse dans l'obscurité de la terre, assimilaient des sucs souterrains, faisaient craquer la croûte des mottes de terre. « Y suffirait d'une nuit de pluie, se disait-il, et y seraient bons à

6

cueillir. » Il lui tardait de mettre sa femme et ses six enfants au courant de sa découverte.

— Ecoutez bien ce que je vais vous dire ! annonça-t-il durant le maigre déjeuner, cette semaine on va manger des champignons ! Frits à l'huile ! Je vous le garantis !

Puis, aux plus petits de ses enfants, qui ne savaient pas ce que c'étaient que des champignons, il expliqua avec ferveur la beauté de leurs nombreuses espèces, la délicatesse de leur saveur, et comment il convenait de les cuisiner, parvenant même à intéresser à la discussion sa femme Domitilla qui, jusqu'alors, avait plutôt semblé sceptique et distraite.

— Et où y sont ces champignons ? demandèrent les gosses. Dis-nous où que c'est qu'y poussent !

A cette question, un réflexe de méfiance doucha l'enthousiasme de Marcovaldo : « Si je leur dis l'endroit, y vont aller les chercher avec une bande de gamins, tout le quartier sera au courant, et les champignons finiront dans les casseroles des autres ! » Ainsi cette découverte, qui lui avait brusquement empli le cœur d'un amour universel, lui donnait maintenant une terrible soif de possession, cependant qu'une crainte jalouse et soupçonneuse le submergeait.

— Le coin des champignons, je le connais et je suis seul à le connaître, dit-il aux gosses. Gare à vous si vous vendez la mèche !

Le lendemain matin, en se rendant à l'arrêt du tram, Marcovaldo était plein d'appréhension. Il se pencha vers la plate-bande et vit avec soulagement

7

que les champignons avaient un peu poussé, mais pas trop, et qu'ils étaient encore presque entièrement enfouis sous terre.

Marcovaldo était toujours penché, quand il se rendit compte qu'il y avait quelqu'un derrière lui. Il se releva d'un bond et s'efforça de prendre un air indifférent. Un balayeur était là, qui le regardait, appuyé sur son balai.

Ce balayeur, dans la circonscription administrative duquel se trouvaient les champignons, était un jeune et grand échalas à lunettes qui se prénommait Amadis. Il y avait belle lurette que Marcovaldo le trouvait antipathique, peut-être bien à cause de son regard de myope qui scrutait l'asphalte des rues pour y chercher et y effacer à coups de balai les moindres traces de la nature.

C'était un samedi ; et Marcovaldo, dont l'après-midi était libre, le passa tout entier à tournailler d'un air distrait dans les parages de la plate-bande, surveillant de loin du coin de l'œil le balayeur et les champignons, tout en s'efforçant de calculer combien de temps il faudrait encore pour qu'on les puisse cueillir.

La pluie tomba durant la nuit : Marcovaldo, comme ces paysans qui, après des mois de sécheresse, se réveillent et bondissent de joie au bruit des premières gouttes, Marcovaldo, seul de toute la ville, s'assit dans son lit, appela les siens — « Il pleut, il pleut ! » — et respira, venue du dehors, une odeur de poussière mouillée et de moisissure fraîche.

A l'aube — c'était dimanche —, avec les gosses

et un panier qu'on lui avait prêté, il fonça immédiatement vers la plate-bande. Les champignons étaient
bien là, droits sur leurs pieds, leurs têtes dominant
la terre encore imbibée d'eau. « Hourra ! » Et ils
se précipitèrent pour les ramasser.

— Papa ! Regarde le monsieur, là, tout ce qu'il
a déjà pris ! s'écria Michelino.

Alors le père, levant la tête, vit Amadis, debout
près d'eux, tenant également sous le bras un panier,
plein de champignons.

— Ah ! vous les ramassez aussi ? dit le balayeur.
Y sont bons à manger alors ? Moi, j'en ai ramassé
un peu ; mais je savais pas si on pouvait s'y fier...
Un peu plus loin dans l'avenue, y en a qui sont
encore plus gros... Bon, maintenant que je sais, je
vais affranchir mes parents qui sont là-bas à se
demander s'y faut les ramasser ou non...

Il s'éloigna à grandes enjambées.

Marcovaldo demeura bouche bée : des champignons encore plus gros et qu'il n'avait même pas
remarqués, une récolte inespérée qu'on lui soufflait
comme ça, sous le nez. Il demeura un moment immobile, comme pétrifié de colère, de rage. Puis — ainsi
que cela se produit souvent —, ces passions indivi-
duelles et mesquines s'effondrèrent et firent place à
un grand élan de générosité. A cette heure-là, beaucoup de gens attendaient le tram, le parapluie accroché au bras, car le temps demeurait humide et incertain.

— Hé ! vous autres, vous aimeriez pas manger
un bon plat de champignons ce soir ? cria Marco-

valdo à ceux qui se pressaient à l'arrêt du tram. Y en a qu'ont poussé dans l'avenue. Suivez-moi ! Y en aura pour tout le monde !

Et il s'élança sur les traces d'Amadis, suivi par une petite troupe d'hommes et de femmes.

Ils trouvèrent encore assez de champignons pour tous, et, à défaut de paniers, les mirent dans leurs parapluies grands ouverts. Quelqu'un dit :

— Ce qui serait chouette ce serait de faire un bon repas tous ensemble !

Au lieu de cela, chacun prit ses champignons et rentra chez soi.

Mais ils se revirent très vite, le soir même, dans la même salle d'hôpital, après le lavage d'estomac qui les avait tous sauvés de l'empoisonnement : rien de grave, car la quantité de champignons mangée par les uns et les autres n'était pas très importante.

Dans deux lits voisins, Marcovaldo et Amadis se regardaient de travers.

2. *Vacances sur un banc*

En se rendant chaque matin à son travail, Marcovaldo passait sous le dôme de verdure d'une place plantée d'arbres, un carré de jardin public découpé au beau milieu de quatre rues. Il levait les yeux vers le feuillage des marronniers d'Inde, vers le point où il était le plus touffu et d'où ne dardaient seulement, dans l'ombre diaphane de la lymphe, que de rares et jaunes rayons de soleil. Il écoutait le vacarme des moineaux, invisibles dans les branches. Il pensait cependant que c'étaient des rossignols. « Oh ! se disait-il, si je pouvais au moins une fois me réveiller au gazouillis des oiseaux plutôt qu'à la sonnerie du réveil, aux cris de Paolino, le dernier-né, et aux hurlements de Domitilla, ma femme ! » Ou bien encore : « Oh ! si je pouvais dormir ici, tout seul au milieu de cette fraîcheur verte, et pas dans ma chambre basse, étouffante ; ici dans le silence et pas parmi les ronflements de toute ma famille qui bavarde dans son sommeil avec, en plus, le bruit du tram dans la rue. Oui, dormir ici dans l'obscurité naturelle de la nuit, et pas dans celle artificielle des volets clos zébrés par le reflet des réverbères ! Oh ! si je pouvais voir les feuilles et le ciel en ouvrant les yeux ! » Et c'est en ressassant

11

chaque jour de telles pensées que Marcovaldo commençait ses huit heures quotidiennes — plus les supplémentaires — de manœuvre non qualifié.

Il y avait, dans un coin de la place, sous la voûte de feuillage des marronniers d'Inde, un banc écarté et à demi caché : Marcovaldo se l'était moralement réservé. Et durant les nuits d'été, quand — dans la chambre où ils dormaient à cinq — il ne parvenait pas à trouver le sommeil, il rêvait au banc comme un sans-logis peut rêver au lit d'apparat d'un palais royal. Une nuit, tandis que sa femme ronflait et que les enfants gigotaient en dormant, Marcovaldo se leva en douce, s'habilla, prit son oreiller sous le bras, sortit et gagna la place.

Là étaient la fraîcheur et la paix. D'avance, en s'en réjouissant, il imaginait le contact de ces planches d'un bois — il en était sûr — moelleux, accueillant, et à tout point de vue préférable au matelas avachi de son lit. Il aurait d'abord contemplé les étoiles durant une minute, puis sombré dans un sommeil réparateur propre à effacer d'un coup toutes les avanies de la journée.

La fraîcheur et la paix étaient bien au rendez-vous, mais non le banc qui n'était pas libre. Deux amoureux y étaient assis, qui se regardaient dans les yeux. Discret, Marcovaldo s'éloigna. « Il est tard, se dit-il, y passeront pas la nuit à la belle étoile ! Y finiront bien de roucouler ! »

Mais le couple ne roucoulait pas : il se disputait. Et, lorsqu'il s'agit de deux amoureux, on ne peut jamais dire quand la discussion finira.

Le garçon disait :

— Pourquoi veux-tu pas admettre qu'en disant ce que t'as dit, tu me faisais de la peine et pas du tout plaisir, comme tu faisais semblant de le croire ?

Marcovaldo comprit qu'il y en avait encore pour un bout de temps.

— Non, je l'admets pas, dit la jeune fille.

Marcovaldo s'y attendait.

— Pourquoi veux-tu pas l'admettre ?

— Non, je l'admettrai jamais.

« Aïe ! » se dit Marcovaldo. Et, son oreiller sous le bras, il alla faire un petit tour. Il alla regarder la pleine lune par-dessus les arbres et les toits. Puis il revint vers le banc, sans trop s'en approcher pour ne pas déranger les amoureux, mais en espérant tout de même les gêner assez pour qu'ils s'en aillent. Mais ils étaient trop bien occupés à discuter pour remarquer sa présence.

— Alors, tu l'admets ?

— Non, non, je l'admets pas du tout !

— Mais en admettant que tu l'admettes ?...

— En admettant que je l'admette, j'admettrais jamais ce que tu veux me faire admettre !

Marcovaldo retourna voir la lune, puis alla regarder un feu de signalisation qui se trouvait un peu plus loin. Jaune, jaune, jaune, c'était toujours le jaune qui s'allumait et se réallumait. Marcovaldo compara la lune et le feu de signalisation. La lune et sa pâleur mystérieuse, également jaune, mais au fond verte et même bleu clair ; la lune et le feu de signalisation avec son jaune plutôt vulgaire. La lune, on ne peut plus calme, irradiant doucement sa lumière, et veinée de temps en temps d'infimes restes de nuages qu'elle laissait tomber derrière elle d'un air souverain ; la lune et le feu de signalisation toujours là, lui, allumé, éteint, allumé, éteint, haletant, fébrile, faussement affairé, esclave et harassé.

Marcovaldo fit demi-tour : peut-être la jeune fille avait-elle fini par admettre. Mais non ! bien au contraire : ce n'était plus elle qui n'admettait pas, mais lui. La situation avait changé du tout au tout, et maintenant c'était elle qui lui disait :

— Alors tu admets ?

Non, il n'admettait pas. Une demi-heure s'écoula de la sorte. Au bout de laquelle il finit par admettre, à moins que ce ne fût elle. Bref, Marcovaldo les vit se lever et s'éloigner en se tenant par la main.

Il courut vers le banc, se jeta dessus, mais cependant, à cause de son attente, il n'était plus dans la disposition d'esprit de goûter pleinement la douceur qu'il en escomptait, au point que même son lit ne lui avait jamais semblé aussi dur. Cela pourtant n'importait guère : Marcovaldo était bien décidé à passer une bonne nuit à la belle étoile. Il enfouit son visage dans l'oreiller et chercha le sommeil, un sommeil tel qu'il en avait depuis longtemps perdu l'habitude.

Maintenant, il avait trouvé la position la meilleure. Pour rien au monde, il ne se serait déplacé d'un millimètre. Dommage seulement qu'étendu comme il l'était, son regard ne tombât point uniquement sur une perspective d'arbres et de ciel, de façon que le sommeil lui fermât les yeux sur une vision de sérénité absolue qui ne devait rien qu'à la nature. Oui, dommage que devant lui se succédassent, en raccourci, un arbre, l'épée d'un général brandie du haut de son monument, un autre arbre, un panneau couvert d'affiches, un troisième arbre et puis, un peu plus loin, le feu de signalisation — cette fausse lune — qui continuait à égrener son jaune, jaune, jaune...

Il faut dire que, ces derniers temps, Marcovaldo avait les nerfs en si mauvais état que, bien qu'il fût mort de fatigue, il suffisait d'un rien ou qu'il se mît en tête quelque chose qui l'ennuyait pour l'empêcher de dormir. Maintenant, c'était ce feu de signalisation qui l'ennuyait, ce feu qui s'allumait et s'éteignait. Il le voyait là-bas, au loin, tel un œil jaune qui clignait, solitaire : pas de quoi en faire un drame. Mais Marcovaldo devait vraiment être au bord de la dépression : il fixait ces feux alternés et se répétait : « Comme je dormirais bien si y avait pas cette affaire-là ! Comme je dormirais bien ! » Il fermait les yeux, et il lui semblait voir sous ses paupières ce jaune imbécile s'allumer et s'éteindre ; il clignait des yeux et voyait alors des dizaines de feux de signalisation ; il les rouvrait, et tout recommençait toujours.

Il se leva. Il lui fallait mettre un écran entre le feu de signalisation et lui. Il alla jusqu'au monument du général et jeta un coup d'œil à l'entour. Au pied

15

du monument, il y avait une couronne de lauriers montée sur baguettes, bien fournie, mais déjà flétrie et à demi défeuillée, avec un grand ruban décoloré : *Le 15e Lanciers en un Anniversaire de Gloire.* Marcovaldo grimpa sur le piédestal, leva la couronne, l'enfila sur le sabre du général.

Le vigile Tornaquinci qui faisait sa ronde traversait la place en vélo : Marcovaldo se cacha derrière la statue. Tornaquinci avait vu l'ombre du monument bouger sur le sol : il s'arrêta, soupçonneux. Puis, ayant considéré la couronne enfilée sur le sabre, il comprit qu'il y avait là quelque chose qui n'allait pas, mais il ne savait trop quoi. Il dirigea vers la couronne le rayon de sa torche électrique à réflecteur, et lut : *Le 15e Lanciers en un Anniversaire de Gloire.* Il hocha la tête en signe d'approbation et s'en alla.

Pour lui donner le temps de s'éloigner, Marcovaldo fit le tour de la place. Dans une rue adjacente, une équipe d'ouvriers ajustait un aiguillage aux rails du tramway. La nuit, dans les rues désertes, ces petits groupes d'hommes accroupis dans la lueur des soudeuses autogènes, avec ces voix qui résonnent et s'éteignent aussitôt, ont l'air secret de gens qui préparent des choses que ceux du jour devront ignorer à jamais. Marcovaldo s'approcha, resta là à regarder la flamme et les gestes des ouvriers, avec une attention quelque peu embarrassée et des yeux que l'envie de dormir rétrécissait de plus en plus. Il chercha une cigarette dans sa poche pour se tenir éveillé, mais il n'avait pas d'allumettes.

— Vous avez du feu ? demanda-t-il aux ouvriers.

— Tiens ! lui dit le type du chalumeau oxhydrique en lui envoyant une volée d'étincelles.

Un autre ouvrier se leva et lui tendit une cigarette allumée :

— Toi aussi, tu fais la nuit ?

— Non, je fais le jour, dit Marcovaldo.

— Qu'est-ce que tu fous debout à cette heure-ci, alors ? Nous, on va pas tarder à se tirer.

Marcovaldo regagna le banc, s'allongea. A présent, il ne voyait plus le feu de signalisation : il pouvait s'endormir. Enfin !

Il n'avait pas prêté attention au bruit, d'abord. Maintenant, ce ronflement pareil à un souffle sourd aspirant et, dans le même temps, à un raclement interminable et même à un grésillement, ne cessait de lui emplir les oreilles. Il n'est pas de bruit plus perçant que celui d'une soudeuse, une espèce de hurlement assourdi. Marcovaldo, immobile, recroquevillé sur le banc comme il l'était, le visage enfoui dans son oreiller fripé, n'arrivait pas à trouver le repos. Le bruit continuait à évoquer pour lui la scène éclairée par la flamme grise qui crachait des étincelles d'or : les hommes accroupis sur le sol, un verre fumé devant les yeux ; le pistolet du soudeur serré dans une main agitée d'un tremblement saccadé ; la zone d'ombre dans quoi baignait le chariot aux outils avec son haut échafaudage métallique atteignant presque les fils électriques. Marcovaldo ouvrit les yeux, se retourna sur le banc, regarda les étoiles à travers les branches. Les oiseaux, insensibles, continuaient à dormir là-haut parmi les feuilles.

Ah ! s'endormir comme un oiseau, avoir une aile sous quoi glisser sa tête, un monde de branchages suspendus au-dessus du monde terrestre, qu'on devine à peine là-bas, estompé, lointain. Il suffit de commencer par refuser son propre état, et qui sait où l'on arrive : présentement, pour dormir, Marcovaldo avait besoin de quelque chose dont il ne savait pas très bien ce que c'était ; même un vrai silence ne lui aurait plus suffi, mais bien un bruit de fond plus doux que le silence, un souffle de vent qui passe dans l'épaisseur d'un sous-bois, ou le murmure d'une eau qui sourd et va se perdre à travers champs.

Il avait une idée en tête, et se leva. Non, pas exactement une idée, car, à demi abruti de sommeil, il ne parvenait pas à formuler nettement ses pensées : c'était plutôt comme le souvenir qu'il y avait là, tout près, quelque chose d'associé à l'idée de l'eau, à son écoulement gazouillant et assourdi.

En fait, il y avait une fontaine toute proche, œuvre insigne où se mariaient superbement la sculpture et l'hydraulique, avec des nymphes, des faunes, des divinités fluviales qui faisaient s'entrecroiser cascades et jets d'eau. Seulement, elle était à sec : l'été, étant donné que l'eau se faisait parfois rare, on fermait la fontaine durant la nuit. Marcovaldo tournait machinalement autour comme un somnambule : plus par instinct que par réflexion, il savait qu'un bassin doit comporter un robinet. Quand on a l'œil, on trouve ce que l'on cherche, même les yeux fermés. Il ouvrit le robinet : de hauts jets d'eau jaillirent des coquilles, des barbes et des naseaux des chevaux ; les grottes artificielles se voilèrent de manteaux scintillants ; et, dans la grande place vide, toute cette eau résonna, comme l'orgue d'une église, de tous les bruissements et de tous les grondements dont elle était capable. Le vigile Tornaquinci qui, tout vêtu de noir, repassait à bicyclette pour glisser de petits papiers sous les portes, manqua tomber de sa machine en voyant tout à trac exploser la fontaine devant lui, tel un feu d'artifice liquide.

Marcovaldo, tout en s'efforçant d'ouvrir ses yeux le moins possible pour ne pas laisser échapper ce mince fil de sommeil qu'il lui semblait avoir déjà saisi, Marcovaldo courut s'étendre de nouveau sur le banc. A présent, il était comme au bord d'un torrent, avec un bois au-dessus de lui ; à présent, il dormait.

Il rêva d'un repas : son assiette était couverte comme pour garder les pâtes au chaud. Il la découvrit, il y avait dedans un rat mort, qui puait. Il regarda dans l'assiette de sa femme : une autre saloperie de rat. Devant ses enfants, d'autres rats, plus petits, mais également à moitié putréfiés. Il ôta le couvercle de la soupière et y vit un chat, ventre en l'air ; la puanteur le réveilla.

Une benne de nettoiement, de celles qui vont vider de nuit les boîtes à ordures, stationnait non loin de là. Marcovaldo distinguait, dans la lueur des réverbères, la grue qui grinçait par à-coups, les ombres des éboueurs debout au sommet de la montagne d'immondices, et qui guidaient de la main le godet métallique accroché à la poulie, le renversaient dans le camion, aplatissaient à coups de pelle, avec des voix sourdes et cassées comme les secousses de la grue — « Lève... Lâche... Va te faire foutre ! » — et des chocs métalliques pareils à des coups de gong étouffés. Puis le moteur redémarrait au ralenti, la benne allait s'arrêter un peu plus loin, et la manœuvre recommençait.

Mais le sommeil de Marcovaldo était désormais dans une zone où les bruits ne l'atteignaient plus ; au reste, quoique désagréables et raclants, ils étaient comme entourés d'un halo moelleux qui les amortissait, peut-être bien à cause de la consistance même des ordures entassées dans la benne. Non, c'était la puanteur qui le tenait éveillé, la puanteur avivée par une intolérable idée de puanteur, de sorte que même les bruits, ces bruits amortis et lointains, et l'image en contre-jour de la benne avec la grue ne se présentaient plus à l'esprit en tant que bruits et vision mais seulement en tant que puanteur. Et Marcovaldo s'agitait, poursuivant en vain, et par la seule imagination de ses narines, la fragrance d'une roseraie.

Le vigile Tornaquinci sentit son front se couvrir brusquement de sueur en voyant une ombre humaine courir à quatre pattes sur une plate-bande, arracher rageusement des renoncules et disparaître. Mais il se dit qu'il devait s'agir soit d'un chien, auquel cas cela relevait de la compétence des employés de la fourrière, soit d'une hallucination, ce qui relevait alors de la compétence d'un médecin aliéniste, soit encore d'un lycanthrope, lequel relevait de la compétence d'on ne savait trop qui — mais surtout pas de la sienne —, et il fila.

Dans le même temps, Marcovaldo, ayant regagné son banc, pressait contre son nez son fruste bouquet de renoncules, tentant d'obstruer son conduit olfactif avec leur parfum. Il ne pouvait pas tirer grand-chose de ces fleurs quasiment inodores ; mais, déjà, la bonne odeur de rosée, de terre et d'herbe écrasée lui était d'un grand secours. Elle chassa l'obsession des ordures, et Marcovaldo s'endormit. L'aube pointait.

La brusque ouverture d'un ciel plein de soleil au-dessus de sa tête l'éveilla : un soleil qui avait comme effacé les feuilles et les redessinait peu à peu pour des yeux à demi aveugles. Mais Marcovaldo ne pouvait s'attarder, car un frisson l'avait fait sauter à bas de sa couche : le jeu d'un de ces tuyaux en caoutchouc qui servent aux jardiniers de la ville pour arroser plates-bandes et gazons, faisait serpenter des rigoles d'eau froide sur ses vêtements. Et, tout autour de lui, piaffaient les trams, les camions des marchés, les voitures à bras, les fourgonnettes. Les ouvriers fonçaient vers les usines sur leurs vélomoteurs ; les rideaux de fer des boutiques remontaient à toute vitesse ; les fenêtres des maisons ouvraient leurs persiennes ; les vitres étincelaient. La bouche pâteuse, les yeux ensommeillés, l'air hagard, le dos douloureux, une hanche à demi démise, Marcovaldo courait à son travail.

Les itinéraires que suivent les oiseaux quand ils émigrent — vers le sud ou vers le nord, en automne ou au printemps — traversent rarement la ville. Leurs vols coupent très haut le ciel, au-dessus de l'étendue striée des champs et le long de la lisière des bois, puis ils semblent suivre la courbe sinueuse d'un fleuve, ou bien le creux d'une vallée, ou bien encore les routes invisibles du vent. Mais ils virent au large dès que les chaînes de toits d'une ville surgissent devant eux.

Pourtant, une fois, un vol de bécasses d'automne apparut dans le ruban de ciel d'une rue. Et Marcovaldo, qui ne circulait toujours que le nez en l'air, fut bien le seul à s'en apercevoir. Il était à ce moment sur un triporteur et, en voyant les oiseaux, il se mit à pédaler plus fort comme s'il se lançait à leur poursuite, pris soudain d'une envie de chasser, bien qu'il n'eût jamais épaulé d'autre fusil que celui du soldat.

En pédalant ainsi, sans perdre des yeux le vol des bécasses, il se trouva parmi les voitures au beau milieu d'un carrefour, le feu étant au rouge, et manqua de peu d'être embouti. Tandis qu'un agent, au visage cramoisi, inscrivait ses nom et adresse sur son calepin, Marcovaldo chercha encore du regard toutes ces ailes dans le ciel, mais elles avaient disparu.

A son travail, à la S.B.A.V., sa contravention lui fut aigrement reprochée :

— Alors, tu sais même pas ce que veut dire un feu rouge ! lui lança M. Viligelmo, le chef magasinier. Mais qu'est-ce que tu regardais donc, tête de linotte ?

— Un vol de bécasses, que je regardais..., dit Marcovaldo.

— Quoi ?

Les yeux de M. Viligelmo, qui était un vieux chasseur, se mirent à briller. Marcovaldo raconta tout.

— Samedi, je prends mon fusil et mon chien, dit le chef magasinier, tout guilleret, oubliant ses reproches. Leur passage a déjà commencé, là-haut sur la colline. C'étaient sûrement des bécasses effrayées par les chasseurs de là-haut, et qui se sont repliées sur la ville...

Durant toute la journée, la cervelle de Marcovaldo tourna, tourna comme un moulin : « Si samedi, comme c'est probable, la colline est pleine de chasseurs, qui sait combien de bécasses descendront en ville et, si je sais y faire, dimanche je mangerai de la bécasse rôtie. »

Le grand immeuble où habitait Marcovaldo avait un toit-terrasse, avec des fils de fer pour étendre le linge. Marcovaldo y monta avec trois de ses gosses, un bidon de glu, un pinceau et un sac de maïs. Cependant que les gosses répandaient un peu partout les grains de maïs, Marcovaldo, pinceau en main, enduisait de glu les parapets, les fils de fer, les corniches du toit. Il en mit tellement que Filippetto, en jouant, manqua de peu d'y demeurer collé.

Cette nuit-là, Marcovaldo rêva d'un toit jonché de bécasses engluées et frémissantes. Domitilla, sa femme, plus gourmande et paresseuse que lui, rêva de canards tout rôtis, posés sur les corniches. Sa fille, Isolina, rêvait romantiquement à des colibris dont elle aurait orné son chapeau. Michelino rêva qu'il y trouvait une cigogne.

Le lendemain, d'heure en heure, l'un des gosses allait jeter un coup d'œil sur le toit : il mettait seulement le nez à la lucarne afin que, dans le cas où « elles » s'apprêteraient à se poser, « elles » ne prissent pas peur ; puis il redescendait donner des nouvelles. Les nouvelles n'étaient jamais bonnes. Jusqu'à ce que, vers midi, Pietruccio revienne en criant :

— Papa, « elles » sont là ! Viens vite !

Marcovaldo monta avec un sac. Collé à la glu, il y avait là un pauvre pigeon, un de ces pigeons gris citadins, habitués à la foule et au vacarme des places. Voletant tout autour de lui, d'autres pigeons le contemplaient tristement, cependant qu'il cherchait à détacher ses ailes de la bouillie visqueuse sur laquelle il s'était malencontreusement posé.

Marcovaldo et sa famille étaient occupés à dépiauter les petits os de ce pigeon fibreux et maigre, qu'on avait fait rôtir, quand ils entendirent frapper à la porte.

C'était la bonne de la propriétaire de l'immeuble.

— Madame vous demande ! Venez tout de suite !

Fort inquiet, car il avait six mois de retard pour son loyer et craignait d'être expulsé, Marcovaldo gagna l'appartement de la propriétaire, à l'entresol. A peine entré dans le petit salon, il vit qu'il s'y trouvait déjà un visiteur : l'agent au visage cramoisi.

— Approchez, Marcovaldo, dit la propriétaire. On m'apprend qu'il y a quelqu'un, sur notre terrasse, qui donne la chasse aux pigeons de la municipalité. Etes-vous au courant ?

Marcovaldo en eut froid dans le dos.

— Madame ! Madame ! cria à ce moment une voix de femme.

— Qu'y a-t-il, Guendalina ?

La laveuse entra :

— Je suis allée étendre le linge sur la terrasse, et y m'est resté tout collé sur les fils de fer. J'ai tiré dessus pour le détacher, mais y se déchire. Tout est abîmé ! Comment que ça se fait ?

Marcovaldo se passait une main sur l'estomac, comme s'il n'arrivait pas à digérer.

Hiver
4. La ville sous la neige

Ce matin-là, ce fut le silence qui le réveilla. Marcovaldo se dressa dans son lit avec le sentiment qu'il y avait dans l'air quelque chose d'étrange. Il ne comprenait pas quelle heure il pouvait bien être ; la lumière qui filtrait au travers des persiennes était différente de celle de toutes les heures du jour et de la nuit. Il ouvrit la fenêtre : la ville n'était plus là, elle avait été remplacée par une grande page blanche. Aiguisant son regard, il distingua dans tout ce blanc quelques lignes presque effacées qui correspondaient à celles de la vue habituelle : les fenêtres et les toits et les réverbères d'alentour mais ensevelis sous toute cette neige qui leur était tombée dessus pendant la nuit.

— La neige ! cria Marcovaldo à sa femme, ou plutôt voulut le crier, mais sa voix sortit, étouffée, de sa gorge. Comme sur les lignes et les couleurs et les perspectives, la neige était aussi tombée sur les

bruits et même sur la possibilité de faire du bruit :
dans cet espace capitonné, les sons ne vibraient
plus.

Il se rendit à pied à son travail, la neige empê-
chant les trams de circuler. Dans la rue, s'ouvrant
lui-même un passage, il se sentit libre comme il ne
l'avait jamais été. Il n'y avait plus de différence entre
le trottoir et la chaussée, les véhicules ne pouvaient
pas passer. Et Marcovaldo, même s'il enfonçait jusqu'à mi-jambe à chaque pas et s'il sentait la neige
s'infiltrer dans ses chaussettes, Marcovaldo était
maître de marcher au milieu de la rue, de piétiner
les plates-bandes, de traverser hors des clous, d'avancer en zigzaguant. Les rues et les boulevards s'ouvraient interminables et déserts, telles de blanches
gorges de montagne. Qui sait si la ville ensevelie sous
ce manteau était toujours la même ou si on l'avait
changée contre une autre durant la nuit ?

Qui sait s'il y avait encore, sous ces monticules
de neige, les postes d'essence, les kiosques à journaux, les arrêts des trams, ou s'il n'y avait rien que
des sacs et des sacs de neige ? Tout en marchant,
Marcovaldo rêvait qu'il se perdait dans une autre
ville, alors qu'au contraire ses pas le ramenaient
exactement à son lieu de travail quotidien, à la
S.B.A.V. Au magasin habituel où le manœuvre
s'étonna, dès qu'il en eut franchi le seuil, de se
retrouver entre des murs toujours semblables, comme
si le changement qui avait annulé le monde extérieur avait uniquement épargné la S.B.A.V.

Là, l'attendait une pelle, plus grande que lui.

M. Viligelmo, le chef magasinier, lui dit en la lui tendant :

— C'est nous qui devons nettoyer le trottoir devant le magasin. Nous, ou plutôt toi...

Marcovaldo prit la pelle sous son bras et sortit.

Déblayer de la neige n'est pas un jeu d'enfant, surtout quand on a l'estomac presque vide, mais, pour Marcovaldo, la neige était comme une amie, comme un élément qui annulait les murs qui emprisonnaient sa vie. Et il attaqua son travail avec ardeur, faisant voler de grandes pelletées de neige du trottoir au beau milieu de la chaussée.

Même Sigismondo le chômeur était plein de reconnaissance pour la neige car, s'étant fait engager le matin même dans l'équipe des balayeurs municipaux, il pouvait finalement compter sur quelques jours de travail assuré. Mais ce sentiment-là, plutôt qu'à de vagues rêveries comme Marcovaldo, le portait à calculer avec beaucoup de précision combien de mètres cubes de neige il faudrait déplacer pour déblayer tant ou tant de mètres carrés : il visait en somme à faire bonne impression sur le chef d'équipe et — c'était là son ambition secrète — à faire carrière.

Sigismondo se retourna, et que vit-il ? Un tronçon de la chaussée tout juste déblayé se recouvrait de neige sous les coups de pelle désordonnés d'un type qui s'affairait sur le trottoir. Il en eut presque un coup de sang. Il se précipita vers lui, lui appuyant sa pelle débordante de neige sur la poitrine :

— Hé, toi ! C'est toi qui balances toute cette neige ?

— Quoi ? quoi ? dit Marcovaldo en sursautant, mais en le reconnaissant tout de même : Ah ! peut-être bien que oui.

— Bon, ou tu la reprends tout de suite avec ta pelle, ou je te la fais manger jusqu'au dernier flocon.

— Mais je dois déblayer le trottoir...

— Et moi, la rue, alors !...

— Où que je la mets ?

— Tu travailles pour la mairie ?

— Non, pour la S.B.A.V.

Sigismondo lui apprit à entasser la neige sur le bord de la chaussée, et Marcovaldo lui renettoya tout son tronçon. Satisfaits l'un de l'autre, leurs deux pelles plantées dans la neige, ils contemplèrent le travail accompli.

— T'aurais pas une petite pipe ? demanda Sigismondo.

Ils étaient occupés à allumer chacun une demi-cigarette, quand une balayeuse chasse-neige parcourut la rue en soulevant deux gerbes blanches qui retombaient sur ses côtés. Tout bruit, ce matin-là, n'était seulement qu'un bruissement : quand les deux hommes levèrent les yeux, tout le tronçon qu'ils avaient déblayé était de nouveau recouvert de neige.

— Qu'est-ce qui se passe ? Y s'est remis à neiger ?

Le chasse-neige, roulant sur ses balais mécaniques, disparaissait déjà au premier tournant.

Marcovaldo apprit à entasser la neige pour en faire de petits murs compacts. S'il continuait comme ça à faire de petits murs, il pouvait construire des rues pour lui tout seul, des rues qui l'auraient conduit en des endroits qu'il était seul à connaître, des rues dans lesquelles tous les autres se seraient perdus. Refaire la ville, faire des tas de neige hauts comme des maisons que personne n'aurait pu distinguer des vraies maisons. Ou peut-être, toutes les maisons étant désormais devenues de neige tant à l'intérieur qu'à l'extérieur, refaire toute une ville de neige : monuments, clochers et arbres compris ; une ville qu'on pouvait défaire à coups de pelle et rebâtir d'une autre façon.

A un certain endroit, au bord du trottoir, il y avait un tas de neige considérable. Marcovaldo se préparait à le niveler pour le ramener à la hauteur de ses murets, quand il s'aperçut que c'était une automobile : la luxueuse voiture toute recouverte de neige du *commendatore* [1] Alboino, le président du conseil d'administration de la S.B.A.V. Etant donné que la différence entre une auto et un tas de neige était à peine sensible, Marcovaldo se mit à modeler à coups de pelle une automobile de neige. Elle fut très réussie : on ne pouvait réellement pas distinguer la vraie voiture de la fausse. Pour fignoler son œuvre, Marcovaldo se servit de quelques détritus mis à jour par sa pelle : une boîte en fer-blanc tomba

---

1. *Commendatore* (commandeur) et *cavaliere* (chevalier) : deux des titres honorifiques italiens accordés par l'Ordre de la Couronne d'Italie et, depuis 1951, par l'Ordre de la République. (N.d.T.)

pile pour figurer la forme d'un phare, et un bout de robinet fit office de poignée de portière.

Il y eut tout un tas de saluts de la part des portiers, des huissiers et des garçons de bureau, et le *commendatore* Alboino franchit le seuil de la S.B.A.V. Myope et dynamique, il se dirigea d'un pas vif et décidé vers sa voiture, empoigna le robinet qui dépassait, baissa la tête et s'enfonça dans le tas de neige jusqu'au cou.

Marcovaldo avait déjà tourné le coin de la rue et déblayait la cour. La cour où des gosses avaient fait un bonhomme de neige.

— Y n'a pas de nez, dit l'un d'eux.

— Qu'est-ce qu'on va lui mettre ?

— Une carotte !

Ils se précipitèrent vers les cuisines familiales pour y fouiller dans les légumes.

Marcovaldo contemplait l'homme de neige : « Sous la neige, on fait guère de différence entre ce qu'est en neige et ce qu'en est seulement recouvert. Sauf pour l'homme, parce qu'on sait que moi c'est moi, et pas ce bonhomme de neige. »

Absorbé dans ses pensées, il ne s'aperçut pas que, du toit, deux hommes criaient :

— Hé ! m'sieur, tirez-vous de là !

C'étaient des gars qui déblayaient la neige des tuiles et, brusquement, trois cents kilos de neige lui tombèrent juste dessus.

Les gosses revinrent avec des carottes.

— Oh ! Ils ont fait un autre bonhomme de neige !

Au milieu de la cour, il y en avait maintenant deux, semblables et proches l'un de l'autre.

— On leur met un nez à tous les deux !

Et les gosses enfoncèrent deux carottes dans les têtes des deux bonshommes de neige.

Marcovaldo, plus mort que vif, sentit, à travers toute cette neige qui l'ensevelissait et le congelait, qu'il lui arrivait quelque chose à manger. Et il se mit à mâcher.

— Bon Dieu ! La carotte a disparu !

Les gosses étaient épouvantés.

Le plus intrépide ne perdit pas courage. Il avait un nez de rechange : un poivron ; et il le mit au bonhomme de neige. Le bonhomme de neige avala aussi ce nez-là.

Alors ils essayèrent de lui mettre un morceau de charbon en guise de nez, une briquette. Marcovaldo la recracha énergiquement.

— Au secours ! Il est vivant ! Il est vivant !

Et les gosses s'enfuirent.

Dans un coin de la cour, il y avait une grille d'où s'échappait un nuage de chaleur. Marcovaldo, de son pas lourd de bonhomme de neige, alla s'installer dessus. La neige se mit à fondre, coulant en rigoles sur ses vêtements, faisant réapparaître un Marcovaldo tout gonflé de froid, tout enchifrené.

Il empoigna sa pelle, surtout pour se réchauffer, et se mit à déblayer la cour. Il avait une terrible envie d'éternuer qui s'était bloquée au sommet de son nez, qui restait là, et ne se décidait pas à éclater. Marcovaldo déblayait, les yeux à demi fermés, et son éternuement restait toujours perché au sommet de son nez. Brusquement, l' « Aaaa... » fut presque un grondement, et le « tchoum ! » fut plus fort que l'explosion d'une mine. Par suite du déplacement d'air, Marcovaldo alla s'écraser contre le mur.

En fait de déplacement d'air, c'était une vraie trombe que l'éternuement avait provoquée. Toute la neige de la cour se souleva, tourbillonna telle une tourmente et fut aspirée vers le haut, se pulvérisant dans le ciel.

Quand Marcovaldo, revenu de son évanouissement, rouvrit les yeux, la cour était entièrement déblayée, sans le moindre flocon de neige. Et il revit alors la vieille cour, les murs gris, les caisses du magasin, les choses de tous les jours, anguleuses et hostiles.

L'hiver s'en alla, laissant derrière lui les douleurs rhumatismales. Un léger soleil de midi venait
égayer la journée, et Marcovaldo, assis sur un banc,
passait une heure à regarder pousser les feuilles,
avant de retourner à son travail. Un petit vieux,
tout voûté dans son pardessus reprisé, venait s'asseoir auprès de lui : c'était un certain M. Rizieri,
retraité et seul au monde, habitué, lui aussi, des
bancs ensoleillés. De temps en temps, ce M. Rizieri
sursautait, criait « Aïe ! » et se voûtait davantage
encore dans son pardessus. Il collectionnait les rhumatismes, l'arthrite, les lumbagos qu'il attrapait
durant l'hiver humide et froid et qui ne le lâchaient
pas de l'année. Pour le consoler, Marcovaldo lui
détaillait les différentes phases de ses propres rhumatismes, de ceux de sa femme et de ceux d'Isolina, sa fille aînée, qui, la pauvrette, ne poussait pas
tellement bien.

Marcovaldo apportait chaque jour son déjeuner enveloppé dans du papier journal ; assis sur le banc, il défaisait son paquet et donnait le bout de journal tout froissé à M. Rizieri qui tendait impatiemment la main, en disant :

— Voyons un peu quelles sont les nouvelles.

Et il lisait son bout de journal avec un intérêt toujours égal, même s'il datait de deux ans.

Si bien qu'un jour il y découvrit un article sur un traitement pour guérir les rhumatismes grâce au venin des abeilles.

— Ça doit être avec le miel, dit Marcovaldo toujours porté à l'optimisme.

— Non, expliqua M. Rizieri, ils disent avec le venin, le venin de l'aiguillon.

Et il lut quelques passages de l'article. Puis ils discutèrent longuement sur les abeilles, sur leurs vertus et sur ce que pouvait coûter le traitement.

Dès lors, en marchant le long des avenues, Marcovaldo tendait l'oreille à tout bourdonnement, suivait de l'œil tout insecte volant autour de lui... Ainsi, observant les tours et détours d'une guêpe au gros ventre strié de noir et de jaune, il vit qu'elle se faufilait dans le creux d'un arbre et que d'autres guêpes en sortaient : un bourdonnement, un va-et-vient qui signalaient la présence d'un entier nid de guêpes à l'intérieur du tronc. Marcovaldo se mit immédiatement en chasse. Il avait un bocal de verre au fond duquel restaient encore deux doigts de marmelade. Il le posa ouvert près de l'arbre. Bientôt, une guêpe bourdonna tout autour et entra dedans, attirée par l'odeur du sucre ; Marcovaldo ferma vivement le récipient avec un couvercle de papier.

Et, dès qu'il aperçut M. Rizieri, il put lui dire, en lui montrant le bocal où la guêpe tournait furieusement :

— Allez ! allez ! maintenant je vais vous faire une piqûre.

Le petit vieux hésitait, mais Marcovaldo ne voulait à aucun prix différer l'expérience et insistait pour opérer lui-même, là, sur leur banc : il n'était même pas nécessaire que le patient se déshabillât. Avec crainte, mais aussi plein d'espoir, M. Rizieri souleva un coin de son pardessus, de son veston, de sa chemise et, écartant des tricots troués, découvrit un point de ses lombes qui lui faisait mal. Marcovaldo y appliqua le goulot du bocal et en arracha le couvercle de papier. D'abord, il ne se passa rien ; la guêpe ne bougeait pas : s'était-elle endormie ? Pour la réveiller, Marcovaldo donna un grand coup sur le fond du bocal. C'était exactement ce qu'il fallait faire : la guêpe fonça en avant et planta son aiguillon dans les lombes de M. Rizieri. Le petit vieux poussa un hurlement, se leva d'un bond et se mit à courir comme un soldat au pas de parade, en frottant ses lombes et en égrenant toute une kyrielle d'imprécations confuses.

Marcovaldo était pleinement satisfait. Jamais le petit vieux n'avait été aussi droit, aussi martial. Mais un agent de police venait de s'arrêter près d'eux et regardait de tous ses yeux. Marcovaldo prit M. Rizieri par le bras et s'éloigna en sifflotant.

Il rentra chez lui avec une autre guêpe dans son bocal de verre. Convaincre sa femme de le laisser lui faire une piqûre ne fut pas une petite affaire, mais finalement il y parvint. Pour une fois, Domitilla ne récrimina pas : elle ne se plaignit seulement un peu que d'une sensation de brûlure.

Marcovaldo se mit à capturer frénétiquement des guêpes. Il fit une piqûre à Isolina, une deuxième à Domitilla, car seul un traitement systématique pouvait être efficace. Puis il se décida à se faire piquer également. Les gosses — on sait comme ils sont — disaient : « Moi aussi ! Moi aussi ! » mais Marcovaldo préféra leur donner un bocal à chacun pour qu'ils capturassent de nouvelles guêpes, afin de pourvoir à la consommation quotidienne.

M. Rizieri vint le voir chez lui ; il était accompagné d'un autre petit vieux, le *cavaliere* [1] Ulrico, qui traînait la jambe et voulait commencer immédiatement le traitement.

Tout cela ne tarda pas à se savoir. Marcovaldo travaillait maintenant en série : il avait toujours une demi-douzaine de guêpes en réserve, chacune dans son bocal de verre qu'on voyait sur une étagère. Il appliquait le bocal sur le dos des patients comme s'il s'agissait d'une seringue, ôtait le couvercle de papier et, quand la guêpe avait piqué, frottait avec un coton imbibé d'alcool de l'air désinvolte d'un médecin chevronné. Son logement ne se

---

1. Voir note page 34 (N.d.T.)

composait que d'une seule pièce où dormait toute la famille ; ils la divisèrent à l'aide d'un paravent improvisé : d'un côté le « salon » d'attente ; de l'autre le cabinet de consultation. La femme de Marcovaldo introduisait les clients dans le salon d'attente et encaissait les honoraires. Les gosses prenaient les bocaux vides et couraient du côté du nid de guêpes pour se réapprovisionner. Quelquefois une guêpe les piquait, mais ils ne pleuraient plus car ils savaient que c'était bon pour la santé.

Cette année-là, les rhumatismes s'étendirent sur la population comme les tentacules d'une pieuvre ; le traitement de Marcovaldo connut un grand succès. Et, le samedi après-midi, il vit sa pauvre mansarde envahie par une petite foule d'hommes et de femmes souffrants, se tenant le dos ou la hanche ; quelques-uns pareils à des clochards ; d'autres ayant l'air de gens aisés, attirés par la nouveauté de cette thérapeutique.

— Vite, dit Marcovaldo à ses trois garçons, prenez les bocaux et allez m'attraper le plus de guêpes que vous pourrez.

Les gosses partirent aussitôt.

C'était une journée de soleil, et de nombreuses guêpes bourdonnaient dans l'avenue. Les garçons avaient l'habitude d'opérer à quelque distance de l'arbre où se trouvait le nid, cherchant surtout à attraper des guêpes isolées. Mais ce jour-là, Michelino, pour aller plus vite et en prendre davantage, se mit à chasser à proximité de l'entrée du nid de guêpes.

— C'est comme ça qu'on fait, disait-il à ses frères, et il cherchait à attraper les guêpes en plaquant brusquement son bocal sur celles qui se posaient.

Mais, chaque fois, les guêpes s'envolaient pour aller se poser encore plus près du nid. Maintenant il y en avait une qui se tenait exactement sur le bord de la cavité du tronc d'arbre, et Michelino était sur le point d'abattre son bocal quand il vit et entendit deux autres grosses guêpes foncer sur lui comme si elles voulaient le piquer au visage. Il voulut les éviter, mais il sentit la piqûre des aiguillons et, hurlant de douleur, lâcha le bocal. L'appréhension de ce qu'il avait fait lui fit immédiatement oublier sa douleur : le bocal était tombé à l'intérieur du nid. On n'entendait plus le moindre bourdonnement, et plus aucune guêpe ne sortait. Michelino, n'ayant même plus la force de crier, recula d'un pas, quand un épais nuage noir sortit en trombe du nid, avec un bourdonnement assourdissant : c'étaient toutes les guêpes qui avançaient en un essaim furieux.

Ses deux frères entendirent Michelino pousser un hurlement et le virent partir en courant, comme il n'avait jamais encore couru de sa vie. On aurait dit qu'il marchait à la vapeur, tellement ce nuage qu'il traînait derrière lui ressemblait à la fumée d'une cheminée.

Où donc un enfant court-il quand on le poursuit ? Chez sa mère, naturellement. Ainsi fit Michelino.

Les passants n'avaient pas le temps de comprendre ce qu'était cette apparition qui, tenant du nuage et de l'être humain, filait dans les rues comme une flèche, en grondant et en bourdonnant.

Marcovaldo était en train de dire à ses clients : « Un peu de patience, les guêpes vont arriver », quand la porte s'ouvrit et l'essaim envahit la mansarde. On ne vit même pas Michelino qui courut plonger sa tête dans une bassine d'eau : toute la pièce fut remplie de guêpes et les patients se démenaient en tentant vainement de les chasser ; les rhumatisants faisaient des prodiges d'agilité et les membres noués se décontractaient en mouvements furieux.

On appela les pompiers, puis la Croix-Rouge. Couché dans son lit d'hôpital, gonflé, méconnaissable du fait des piqûres, Marcovaldo n'osait pas répondre aux injures que ses clients lui lançaient des autres lits de la salle.

6. *Un samedi de soleil, de sable et de sommeil*

— Pour vos rhumatismes, avait dit le médecin de la Mutuelle, il vous faudrait de bons bains de sable.

Et Marcovaldo, un samedi après-midi, explorait les bords du fleuve, cherchant un endroit ensoleillé où il y aurait du sable bien sec. Mais là où il y avait du sable, le fleuve n'était que grincements de chaînes rouillées ; les dragues et les grues étaient au travail : des machines aussi vieilles que des dinosaures creusaient dans le fleuve et déversaient d'énormes pelletées de sable dans les camions des entreprises de construction qui stationnaient parmi les saules. Les godets des dragues montaient droits, à la file, redescendaient retournés ; les grues hissaient au bout de leur long cou un goître de pélican tout ruisselant de la boue noire du fond. Marcovaldo se baissait pour tâter le sable, l'écrasait dans sa main ; il était humide, du limon, de la vase : même là où se formait au soleil une croûte sèche et friable, il était encore mouillé au-dessous d'un centimètre.

Les gosses de Marcovaldo, que celui-ci avait emmenés avec lui dans l'espoir qu'ils l'aideraient à se recouvrir de sable, ne tenaient plus en place tant ils mouraient d'envie de se baigner.

— Papa, papa, on va plonger ! On nage ?

— Vous êtes fous ? Y a une pancarte : *Il est dangereux de se baigner !* On se noie, et on tombe au fond comme des pierres.

Et Marcovaldo leur expliquait que, là où le fond du fleuve est creusé par les dragues, il se forme des entonnoirs vides où le courant s'engloutit en remous et en tourbillons.

— Le tourbillon, fais-nous voir le tourbillon !

Pour les gosses, le mot sonnait joyeusement.

— On le voit pas : y vous prend par le pied, pendant que vous nagez, et y vous entraîne dans le fond.

— Et çui-là, pourquoi qu'y va pas au fond ? C'est quoi, un poisson ?

— Non, c'est un chat crevé, expliqua Marcovaldo. Y flotte parce que son ventre est plein d'eau.

— Le tourbillon, y prend le chat par la queue ? demanda Michelino.

La pente de la rive herbeuse, en un certain endroit, s'élargissait en formant un terre-plein où se dressait un grand tamis. Deux ouvriers étaient en train de tamiser un tas de sable à coups de pelle et, toujours à coups de pelle, chargeaient ledit sable sur un grand bateau noir et bas, une espèce de péniche, qui se balançait mollement, attachée à un saule. Malgré la canicule, les deux hommes, des barbus, travaillaient en veston et chapeau, mais tout cela déchiré et graisseux, avec des pantalons en lambeaux, qui s'arrêtaient aux genoux, laissant les jambes et les pieds nus.

En voyant ce sable qu'on avait laissé sécher des jours et des jours, ce sable fin, séparé des scories et clair comme du sable de mer, Marcovaldo se dit que c'était là ce qu'il lui fallait. Mais il l'avait trouvé trop tard : déjà on le tassait dans la péniche pour l'emporter...

Non, pas encore : les ouvriers, ayant achevé leur chargement, dirent deux mots à une fiasque de vin et, après se l'être passée deux fois et avoir bu à la régalade, s'étendirent à l'ombre des peupliers pour laisser passer la grosse chaleur.

« Tant qu'y resteront là à dormir, je pourrai me coucher dans leur péniche et faire mes bains de sable », pensa Marcovaldo. Et s'adressant aux gosses, il leur dit à mi-voix :

— Vite, aidez-moi !

Il sauta dans la péniche, ôta chemise, pantalon, chaussures, et se glissa sous le sable.

— Recouvrez-moi de sable avec la pelle, dit-il aux gosses. Non, pas la tête ; elle me sert à respirer et doit rester dehors. Tout le reste !

Pour les gosses, c'était un peu comme quand on fait des châteaux de sable :

— On fait des pâtés ?

— Non, un château fort avec des créneaux !

43

— Penses-tu : on pourrait faire une belle piste pour jouer aux billes, oui !

— Maintenant, filez ! souffla Marcovaldo de dessous son sarcophage de sable. Non, mettez-moi d'abord un chapeau de papier sur le front et sur les yeux. Et puis sautez sur la rive et allez jouer plus loin, sans ça ces deux bonshommes vont se réveiller et me forcer à décamper !

— On peut te faire naviguer sur l'eau en tirant le bateau par sa corde, proposa Filippetto.

Et, déjà il avait à moitié détaché l'amarre.

Marcovaldo, immobilisé, tordait la bouche et roulait les yeux pour les gronder.

— Si vous partez pas tout de suite et si vous m'obligez à sortir de là-dessous, je vous assomme à coups de pelle !

Les gosses se sauvèrent aussitôt.

Les rayons du soleil dardaient, le sable brûlait, et Marcovaldo, ruisselant de sueur sous son petit chapeau de papier, éprouvait, à demeurer là, à cuire, immobile, ce sentiment de satisfaction que donnent les traitements pénibles ou les médicaments désagréables quand on se dit : « Plus c'est mauvais, plus c'est signe que ça fait du bien. »

Il s'endormit, bercé doucement par le courant qui tendait un peu l'amarre et la détendait un peu. Tendu et détendu, le nœud que Filippetto avait déjà à demi défait se détacha complètement. Libre, la péniche chargée de sable descendit le cours du fleuve.

C'était l'heure la plus chaude de l'après-midi ;

tout dormait : l'homme enseveli sous le sable, les plates-formes des embarcadères, les ponts déserts, les maisons qu'on apercevait, persiennes closes, au-delà des murs. Le fleuve était presque à sec, mais la péniche, poussée par le courant, évitait les sèches de vase qui affleuraient de temps en temps, ou bien il suffisait d'une légère secousse sur le fond pour la remettre à flot.

A l'une de ces secousses, Marcovaldo ouvrit les yeux. Il vit le ciel tout ensoleillé où passaient les nuages bas de l'été. « Comme ils vont vite, pensa-t-il. Et dire qu'y a même pas un brin de vent ! » Puis il vit des fils électriques : eux aussi couraient comme les nuages. Il tourna son regard de côté autant que le lui permettaient les cent kilos de sable qui pesaient sur lui. La rive droite était lointaine, verte, et courait également ; la rive gauche était grise, lointaine, courant aussi. Il comprit qu'il voguait au milieu du fleuve ; il appela, personne ne lui répondit : il était seul, enseveli dans un bateau de sable qui allait à la dérive, sans rames, ni gouvernail. Il savait qu'il aurait dû se lever, essayer d'aborder, appeler au secours ; mais en même temps il se disait que les bains de sable réclamaient une immobilité complète, et cette pensée l'emportait, lui faisait sentir qu'il se devait de rester là, sans bouger, le plus longtemps qu'il pourrait, afin de profiter au maximum de sa cure.

Soudain il vit le pont et, aux statues et aux lampadaires qui ornaient la balustrade, à la largeur des arches qui se découpaient sur le ciel, il le reconnut : il ne pensait pas être arrivé si loin. Et tandis qu'il entrait dans la zone d'ombre que les arches projetaient sous elles, il se souvint de la dénivellation. Une centaine de mètres après le pont, le fleuve faisait un saut ; la péniche, entraînée par la cascade, allait se retourner, et il risquait de couler, coincé sous le sable et le bateau, sans le moindre espoir de s'en tirer vivant. Mais, même à ce moment-là, son principal souci, c'était encore que les bénéfiques effets de son bain de sable allaient être perdus sur-le-champ.

Il attendit la chute. Elle se produisit : mais ce fut un plongeon de bas en haut. En cette période de sécheresse, des bancs de vase, où parfois se voyaient de petites touffes de roseaux et de joncs, s'étaient amoncelés au bord du saut. La péniche vint s'échouer dedans de toute sa carène plate, faisant rebondir l'entier chargement de sable et l'homme qui s'y trouvait enseveli. Marcovaldo fut projeté en l'air comme par une catapulte et, de ce fait, vit le fleuve sous lui. Ou plutôt non, il ne le vit pas ; il vit seulement le grouillement de gens dont le fleuve était plein.

Le samedi après-midi, une énorme foule de baigneurs envahissait cette partie du fleuve où l'eau n'arrivait seulement qu'au nombril. Des gosses y barbotaient par écoles entières, et des grosses dames, et des messieurs qui faisaient la planche, et des filles en bikini, et de jeunes farauds qui luttaient, et des matelas en caoutchouc, des ballons, des bouées de sauvetage, de vieux pneus d'auto, des barques à rames, des périssoires, des petits bateaux marchant à la godille, des canots pneumatiques, des canots à moteur, les canots de sauvetage de la Brigade fluviale, les yoles de la Société des canotiers, des pêcheurs avec des filets, d'autres avec des lignes, des vieilles dames à ombrelle, des demoiselles à chapeau de paille et des chiens, des chiens, des chiens — du caniche au saint-bernard —, si bien qu'on ne voyait même pas un centimètre d'eau dans tout le fleuve. Marcovaldo, voltigeant, volant, ne savait pas s'il allait tomber sur un matelas de caoutchouc, ou dans les bras d'une matrone junonienne, mais il était au moins sûr d'une chose : c'était que pas une seule goutte d'eau ne l'effleurerait.

Automne
7. La gamelle

Le plaisir qu'on tire de ce récipient rond et plat qu'on nomme « gamelle », c'est d'abord qu'il se dévisse. Déjà, le fait d'en dévisser le couvercle vous met l'eau à la bouche, surtout quand on ne sait pas encore ce qu'elle contient parce que, par exemple, c'est votre femme qui vous la prépare chaque matin. Une fois qu'on en a ôté le couvercle, on voit le manger qui s'y trouve : des saucisses aux lentilles, ou des œufs durs avec des betteraves, ou bien encore de la *polenta*[1] avec de la morue, tout cela bien rangé dans cette aire circulaire comme le sont, sur la mappemonde, les continents et les mers. Et même s'il n'y a pas grand-chose, on a cependant l'impression que c'est substantiel et compact. Une fois dévissé, le couvercle sert d'assiette, si bien qu'on a alors deux récipients et qu'on peut trier le contenu de la gamelle.

Marcovaldo, après avoir dévissé le couvercle et

_____
1. Sorte de galette faite de farine de maïs. (N.d.T.)

aspiré goulûment la bonne odeur de son repas, tire de sa poche le couvert empaqueté qu'il emporte toujours avec lui depuis qu'à midi il mange avec sa gamelle plutôt que de retourner chez lui. Les premiers coups de fourchette servent à réveiller un peu cette nourriture engourdie, à donner l'aspect et l'attrait d'un plat tout juste servi à ces mets qui sont restés là recroquevillés durant plusieurs heures. Alors on commence à s'apercevoir qu'il n'y a pas grand-chose, et on se dit : « Y vaut mieux manger lentement », mais on a déjà rapidement et avidement porté à sa bouche les premières fourchettées.

D'abord, on ressent toute la tristesse d'un repas froid, mais bientôt on redevient joyeux, en retrouvant la bonne odeur de la table familiale transportée dans un décor inhabituel. Marcovaldo s'est mis à mastiquer lentement : il est assis sur un banc d'une avenue, près de l'endroit où il travaille. Comme il habite loin, et que retourner chez lui à midi lui fait perdre du temps et dépenser pas mal de tickets de tramway, il emporte son déjeuner dans la gamelle achetée spécialement et le mange en plein air en regardant passer les gens ; puis il va boire à une fontaine. Si c'est l'automne et qu'il fait beau, il choisit une place que réchauffe un rayon de soleil ; les feuilles rousses et brillantes qui tombent des arbres lui servent de serviette ; les peaux de saucisson, il les donne à des chiens errants qui ne tardent pas à devenir ses amis ; et les miettes de pain profiteront aux moineaux dès que l'avenue sera déserte.

Tout en mangeant, Marcovaldo s'interroge : « Pourquoi que la cuisine de ma femme me fait plaisir quand je la mange ici, alors qu'à la maison, avec les disputes, les larmes, les dettes dont on parle à tout bout de champ, elle me dit plus rien du tout ? » Puis il se dit : « Ah ! maintenant je me rappelle, tout ça, c'est des restes d'hier. » Et voilà qu'il est de nouveau de mauvaise humeur, peut-être bien parce qu'il est obligé de manger des restes froids et rancis, peut-être aussi parce que l'aluminium de la gamelle donne aux mets un goût de métal, mais une pensée tourne sous son crâne : « V'là que rien que l'idée de Domitilla me gâche les déjeuners que je fais tout seul, sans elle. »

A ce moment, il s'aperçoit qu'il a presque fini son repas et, de nouveau, il lui semble que ce qu'il mange est quelque chose de savoureux, de rare, et il achève avec ardeur les dernières bouchées qui sont au fond de la gamelle, celles qui sentent le plus le métal. Puis, regardant le récipient vide et graisseux, voilà qu'il redevient tout triste.

Alors il enveloppe et empoche le tout et se lève ; il est encore trop tôt pour retourner au travail. Dans les grandes poches de sa grosse veste, les couverts jouent du tambour sur la gamelle vide. Marcovaldo se rend dans un débit de boissons et se fait servir un verre de vin rempli à ras bord, ou bien dans un bar où il sirote un café. Puis il y regarde les gâteaux dans leur vitrine, les boîtes de bonbons et de nougat, se persuade qu'il n'en a pas envie, qu'il ne désire vraiment rien, suit un moment de l'œil une partie de baby-foot, histoire de se convaincre qu'il cherche à passer le temps et non pas à oublier qu'il a encore faim. Il regagne la rue. Les trams sont de nouveau bondés. L'heure est proche où il lui faut retourner travailler : il y va.

Quelques jours plus tôt, pour des raisons strictement personnelles, sa femme Domitilla avait acheté un lot de saucisses. Et trois soirs durant, Marcovaldo dîna de saucisses aux navets. Or, ces saucisses-là devaient être des saucisses de chien ; leur seule odeur suffisait à lui couper l'appétit. Quant aux navets, ces légumes pâles et fuyants, c'étaient précisément les seuls végétaux que Marcovaldo n'avait jamais pu sentir.

A midi, de nouveau, une saucisse aux navets dans sa gamelle, une saucisse froide et graisseuse. Distrait comme il était, il dévissait toujours le couvercle avec curiosité et gourmandise, sans se souvenir de ce qu'il avait mangé la veille au dîner ; et, chaque jour, il était aussi déçu. Le quatrième jour, il planta sa fourchette dans sa saucisse, la sentit encore une fois, se leva de son banc et, tenant à la main sa gamelle ouverte, se mit à marcher distraitement dans l'avenue. Les passants, surpris, regardaient cet homme qui se promenait avec une fourchette dans une main et une gamelle où l'on voyait une saucisse, dans l'autre : on aurait dit qu'il ne se décidait pas à porter à sa bouche la première fourchettée.

Une voix d'enfant le héla :

— Hé, toi, monsieur !

Marcovaldo leva les yeux. Un enfant se tenait à la fenêtre d'un bel hôtel particulier, les coudes appuyés sur le rebord de ladite fenêtre où était posée une assiette.

— Hé, monsieur ! Qu'est-ce que tu manges ?

— De la saucisse aux navets.

— Veinard ! dit l'enfant.

— Hein ?... fit vaguement Marcovaldo.

— Quand tu penses que je devrais manger de la cervelle frite...

Marcovaldo regarda l'assiette placée sur le rebord de la fenêtre : il y avait dedans une cervelle frite moelleuse et bouclée comme un amoncellement de nuages. Les narines de Marcovaldo en frémirent.

— Pourquoi ? T'aimes pas la cervelle ?... demanda-t-il à l'enfant.

— Non ! Ils m'ont enfermé ici pour me punir parce que je ne voulais pas la manger. Mais, moi, je vais la jeter par la fenêtre.

— T'aimes la saucisse ?

— Oh, oui, on dirait une couleuvre... Chez nous, on n'en mange jamais...

— Alors tu me donnes ton assiette, et je te passe ma saucisse.

— Bravo !

L'enfant était tout content. Il tendit son assiette de porcelaine et une fourchette d'argent ciselé à Marcovaldo ; et celui-ci lui donna sa gamelle avec sa fourchette d'étain.

Puis ils se mirent tous deux à manger : l'enfant sur le rebord de la fenêtre, Marcovaldo assis sur un banc qui se trouvait en face. Tous deux se pourléchant les babines et se disant qu'ils n'avaient jamais goûté quelque chose d'aussi bon.

Quand, brusquement, derrière l'enfant apparut une gouvernante, les mains sur les hanches.

— Mon Dieu ! mon petit monsieur ! Mon Dieu ! Que mangez-vous là ?

— De la saucisse ! dit l'enfant.

— Et qui vous l'a donnée ?

— Ce monsieur-là.

Et il montra Marcovaldo qui interrompit sa lente et soigneuse mastication d'un morceau de cervelle.

— Qu'entends-je ? Voulez-vous jeter cela ! Vite !

— Mais c'est bon...

— Et votre assiette ? Votre fourchette ?

— C'est le monsieur qui les a...

Et il montra de nouveau Marcovaldo qui tenait en l'air sa fourchette où était encore enfilé un morceau de cervelle.

La gouvernante se mit à crier :

— Au voleur ! Au voleur ! Il a pris les couverts !

Marcovaldo se leva, regarda un moment la cervelle frite dont il restait encore une moitié, s'approcha de la fenêtre, posa sur son rebord assiette et fourchette, fixa dédaigneusement la gouvernante, et s'en alla. Il entendit la gamelle rouler sur le trottoir, les pleurs de l'enfant, le claquement de la fenêtre qu'on refermait brutalement. Il se baissa pour ramasser la gamelle et son couvercle. Ils étaient un peu cabossés ; le couvercle ne se vissait plus bien. Il fourra le tout dans sa poche et se rendit à son travail.

8. *Le bois sur l'autoroute*

Le froid se manifeste dans le monde sous mille formes et de mille façons : il court sur la mer comme une troupe de chevaux, s'abat sur les campagnes comme une nuée de criquets. En ville, c'est une lame de couteau qui fend les rues et se glisse dans les interstices des maisons sans chauffage. Ce soir-là, chez Marcovaldo, on avait brûlé les dernières brindilles, et toute la famille, enveloppée de manteaux, regardait les braises s'éteindre dans le poêle et la buée qui s'échappait des bouches au souffle de chacun. Ils se taisaient ; la buée parlait pour eux : Domitilla l'exhalait à longs traits, comme des soupirs ; les enfants, absorbés, comme s'il s'agissait de bulles de savon ; quant à Marcovaldo, il la lançait vers le plafond par saccades, comme des éclairs de génie aussitôt avortés.

A la fin, Marcovaldo prit une décision :

— Je vais aller chercher du bois ; et avec un peu de chance, j'en trouverai peut-être.

Il glissa quatre ou cinq journaux entre sa chemise et son veston pour se protéger des coups de froid, dissimula une longue scie sous son pardessus et sortit dans la nuit, sa famille le suivant jusqu'au seuil d'un œil plein d'espoir, cependant qu'il émettait à chaque pas un bruit de papier froissé et que la scie dépassait par à-coups du col de son pardessus.

Aller chercher du bois en ville : facile à dire ! Marcovaldo se dirigea tout de suite vers un petit bout de jardin public qui se trouvait entre deux rues. Tout était désert. Marcovaldo examinait un à un les arbres dénudés, pensant à sa famille qui l'attendait en claquant des dents...

Le petit Michelino, claquant justement des dents, lisait des contes de fées dans un livre emprunté à la bibliothèque de son école. Le livre racontait l'histoire d'un enfant, fils de bûcheron, qui, armé d'une hachette, allait chercher du bois dans une forêt.

— V'là où il faut aller, dit-il, dans la forêt ! C'est là qu'y a du bois !

Né et ayant grandi en ville, Michelino n'avait jamais vu de forêt, même de loin.

Aussitôt dit, aussitôt fait. Il s'entendit avec ses frères : l'un prit une hachette, un autre un crochet, un autre encore une corde ; ils dirent au revoir à leur mère et se mirent en quête d'une forêt.

Ils allaient par la ville, à la lumière des réverbères, et ne voyaient rien que des maisons : pas l'ombre d'un bois, d'une forêt. Ils croisaient parfois de rares passants, mais n'osaient pas leur demander où était le bois. Ils arrivèrent ainsi à la sortie de la ville, là où finissaient les maisons, où la rue se transformait en autoroute.

Alors, de chaque côté de cette autoroute, les gosses virent enfin le bois : un bois avec beaucoup d'étranges arbres qui cachaient la plaine. Des arbres aux troncs minces, minces, droits ou penchés, avec de grandes chevelures plates d'un aspect fort étrange et de non moins étranges couleurs, quand une auto, passant, les éclairait de ses phares. Des branches en forme de dentifrice, de visage, de fromage, de main, de rasoir, de bouteille, de vache, de pneu, constellées de tout un feuillage de lettres de l'alphabet.

— Hourra ! dit Michelino. On est dans le bois !

Ses trois frères regardaient, fascinés, la lune se lever entre ces étranges ombres :

— Ce que c'est beau !

Michelino leur rappela immédiatement le but de leur expédition : le bois pour le poêle. Si bien qu'ils abattirent un arbrisseau qui rappelait une primevère jaune, le débitèrent en morceaux et le ramenèrent à la maison.

Quand il revint avec une maigre brassée de branchages humides, Marcovaldo trouva le poêle allumé.

— Où que vous avez pris ça ? s'exclama-t-il en désignant les restes du panneau publicitaire qui, étant en contreplaqué, avait brûlé très, très vite.

— Dans le bois ! dirent les enfants.

— Quel bois ?

— Le bois de l'autoroute. Y en a tout plein !

Vu que c'était aussi simple que ça, et qu'il fallait encore du bois, autant valait suivre l'exemple des gosses. Marcovaldo sortit de nouveau, avec une scie, et gagna l'autoroute.

L'agent Astolfo de la police de la route avait la vue un peu basse ; et, la nuit, faisant son service à motocyclette, il aurait eu besoin de lunettes ; mais il ne le disait pas, de peur que cela nuise à son avancement.

Ce soir-là, on avait signalé qu'une bande de gamins abattait les panneaux publicitaires de l'autoroute. L'agent Astolfo décida d'aller voir ce qu'il en était.

Maintenant, de chaque côté de l'autoroute, d'étranges silhouettes réprobatrices et gesticulantes accompagnent Astolfo qui, fronçant ses yeux de myope, les examine une à une. Et voici qu'à la lueur du phare de sa machine, il surprend un galopin grimpé sur un panneau. Astolfo freine :

— Hé, toi, qu'est-ce que tu fais là-haut ? Veux-tu descendre tout de suite !

Mais le galopin en question ne bouge pas et lui tire la langue. Astolfo s'approche et voit qu'il s'agit d'une réclame pour un petit fromage, avec un gros bébé qui se pourlèche.

— Oui, oui..., dit Astolfo.

Et il repart à toute allure.

Peu après, dans l'ombre d'un grand panneau, voilà qu'il éclaire un triste visage effrayé.

— Bougez pas ! Et essayez pas de filer !

Mais personne ne file ; c'est un douloureux visage

humain représenté au beau milieu d'un pied couvert de cors : une publicité pour un corricide.

— Faites excuse ! dit Astolfo.

Et il repart en toute hâte.

Un panneau vantant des comprimés pour combattre la migraine représentait une gigantesque tête humaine, les mains devant les yeux, tellement elle souffrait. Astolfo passe devant, et son phare éclaire Marcovaldo qui, grimpé tout au sommet du panneau, tente de s'en couper un bout avec sa scie. Ebloui par la lumière, Marcovaldo se fait tout petit et demeure immobile, cramponné à l'une des oreilles de l'énorme tête, avec sa scie qui en est déjà à la moitié du front.

Astolfo regarde bien attentivement, et dit :

— Ah, oui ! les comprimés « Stopvite »... Un bon panneau, ça ! Bien trouvé ! Ce petit bonhomme là-haut, avec sa scie, représente la migraine qui coupe la tête en deux ! Je l'ai tout de suite compris !

Et il repart satisfait.

Tout est gel et silence. Marcovaldo pousse un soupir de soulagement, se redresse sur son bout de contre-plaqué malcommode et reprend son travail. Le grincement amorti de la scie sur le bois se propage dans le ciel baigné de lune.

— Ces gosses, dit le médecin de la Mutuelle, ils auraient besoin de respirer un peu de bon air, sur la hauteur, de courir dans l'herbe...

Il se tenait debout entre les lits du sous-sol, où habitait la famille, et appuyait son stéthoscope sur le dos de la petite Teresa, entre ses omoplates aussi frêles que les ailes d'un oisillon sans plumes. Il y avait deux lits, et les quatre enfants malades s'y trouvaient couchés, tête-bêche, les joues rouges, les yeux brillants de fièvre.

— Dans l'herbe comme les plates-bandes de la place ? demanda Michelino.

— Une hauteur comme celle du gratte-ciel ? demanda Filippetto.

— Du bon air ? De l'air bon à manger alors ? demanda Pietruccio.

Marcovaldo, grand et efflanqué, et sa femme Domitilla, petite et trapue, se tenaient appuyés d'un coude des deux côtés d'une commode branlante.

Sans bouger le coude, ils levèrent leur autre bras et le laissèrent retomber le long de leur corps, grommelant ensemble :

— Et où vous voulez qu'on les envoie ? Comment que vous voulez qu'on fasse, avec huit bouches à nourrir, et criblés de dettes comme on est ?

— Le meilleur endroit où qu'on peut les envoyer, précisa Marcovaldo, c'est encore dans la rue.

— L'air pur, on en aura quand on sera expulsés et qu'y faudra dormir à la belle étoile, conclut Domitilla.

Dès qu'ils furent guéris, un samedi après-midi, Marcovaldo emmena les gosses faire un tour sur les collines. Ils habitaient le quartier de la ville le plus éloigné desdites collines. Pour y arriver plus vite, ils firent un long trajet en tram — un tram bondé —, et les enfants ne virent d'abord autour d'eux que les jambes des voyageurs. Le tram se vida peu à peu ; et ils aperçurent, par les fenêtres enfin dégagées, une avenue qui montait. Arrivés au terminus, ils commencèrent leur ascension.

On était au début du printemps ; les arbres fleurissaient sous un tiède soleil pâle. Les enfants regardaient autour d'eux, un peu dépaysés. Marcovaldo les entraîna vers un petit chemin en escalier qui se perdait dans la verdure.

— Pourquoi qu'y a un escalier tout seul, et pas de maison dessus ? demanda Michelino.

— C'est pas un escalier de maison : c'est comme une rue.

— Une rue... Et les autos, comment qu'elles font avec les marches, alors ?

Autour d'eux, il y avait des murs d'où dépassaient des arbres.

— Des murs sans toit... Ça a donc été bombardé ?

— C'est des jardins... C'est un peu comme des cours..., expliquait le père, la maison est dedans, derrière les arbres.

Michelino n'était pas convaincu. Il hocha la tête :

— Mais les cours, c'est dans les maisons, pas dehors.

La petite Teresa demanda :

— Les arbres, y demeurent dans ces maisons-là ?

A mesure qu'il montait, Marcovaldo avait l'impression de laisser derrière lui l'odeur de moisi du magasin où il manipulait des paquets huit heures par jour, et les taches d'humidité de son logement. et la poussière qui flottait, dorée, dans le cône de lumière du soupirail, et les accès de toux de la nuit. Maintenant ses enfants lui paraissaient moins pâles, moins malingres, s'identifiant presque, déjà, à cette lumière et à cette végétation.

— Ça vous plaît ici, oui ?

— Oui.

— Pourquoi ?

— Parce qu'y a pas de flics, qu'on peut arracher les plantes et lancer des pierres.

— Et respirer, vous respirez ?

— Non.

— Ici, l'air est très bon.

Les enfants se mirent à mastiquer :

— Penses-tu ! Y sent rien, il a pas de goût.

Ils montèrent presque jusqu'au sommet de la colline. A un tournant, la ville leur apparut, là-bas tout au fond, s'étendant sans banlieue sur la grise toile d'araignée des rues. Les gosses se roulaient dans l'herbe comme s'ils n'avaient fait que cela toute leur vie. La brise se leva ; c'était déjà le soir. En ville, quelques lumières s'allumaient en un scintillement confus. Marcovaldo ressentit un peu de ce sentiment qu'il avait éprouvé quand, jeune homme, il était venu à la ville et qu'il y était attiré par ces rues et ces lumières comme s'il en attendait qui sait quoi. Les hirondelles montaient droit dans le ciel, puis s'élançaient à corps perdu sur la ville.

Alors il sentit la tristesse l'envahir à l'idée de devoir retourner là-bas, et il repéra dans le paysage grumeleux l'ombre de son quartier : il lui apparut telle une lande plombée, stagnante, recouverte par les écailles innombrables des toits et par les lambeaux de fumée flottant au faîte des cheminées.

Il faisait frisquet : peut-être convenait-il de rappeler les enfants. Mais en les voyant se balancer doucement sur les branches basses d'un arbre, il repoussa cette idée. Michelino, s'approchant, demanda :

— Papa, pourquoi qu'on viendrait pas habiter ici ?

— Gros bêta ! Ici y a pas de maisons, personne y habite ! répondit Marcovaldo avec agacement, parce qu'il était justement en train de rêver de pouvoir venir vivre là, sur la colline.

— Personne ? dit Michelino. Et ces messieurs, là-bas ? Regarde !

Le soir commençait à tomber, et des hommes approchaient, cheminant à travers champs. Des hommes de tout âge, tous vêtus du même et lourd costume gris, boutonné comme un pyjama, tous coiffés d'une casquette et ayant chacun une canne. Ils marchaient par petits groupes ; quelques-uns parlant à haute voix ou riant, enfonçant leurs cannes dans l'herbe ou les traînant accrochées au bras par le manche.

— Qui que c'est ? Où qu'y vont ? demanda Michelino, mais Marcovaldo les regardait sans rien dire.

L'un d'eux, un gros homme d'une quarantaine d'années, passa près de lui :

— Bonsoir ! dit-il. Alors quoi de neuf en ville ?

— Bonsoir ! dit Marcovaldo. Mais pour du neuf, je vois pas ce que vous voulez dire.

— Rien. C'est histoire de parler, répondit l'homme en s'arrêtant.

Il avait une large figure toute pâle, avec seulement une ombre de rose, ou de rouge, au haut des joues.

— Je dis toujours ça à ceux qui montent de la ville, expliqua-t-il. Ça fait trois mois que je suis ici, alors, vous comprenez...

— Vous descendez jamais ?

— Ben, quand les médecins voudront bien ! — Il eut un petit rire. — Et que ceux-là — il se frappa la poitrine —, mes sacrés poumons, me le permettront. — Il eut de nouveau un petit rire, un peu haletant. — Ça fait déjà deux fois qu'ils m'ont déclaré guéri, et à peine revenu à l'usine, pan ! c'est reparti ! Alors y m'ont réexpédié ici. Vive la joie !

— Eux aussi ?... demanda Marcovaldo en montrant les autres hommes qui s'étaient égaillés à l'entour, cependant qu'il cherchait du regard Filippetto, Teresa et Pietruccio qu'il avait perdus de vue.

— Tous des copains de vacances, dit l'homme en clignant de l'œil. A cette heure-ci, on a quartier libre avant qu'y sonnent la retraite... Nous autres, on se couche tôt... Vous comprenez, on peut pas trop s'éloigner de la frontière...

— La frontière ?

— Ben oui... Ici, c'est encore le terrain du sana. Vous saviez pas ?

Marcovaldo prit par la main Michelino qui était resté là à écouter, un peu intimidé. La nuit gagnait ; en bas, le quartier ne se distinguait plus : il ne semblait pas que l'ombre l'eût englouti, mais bien que son ombre à lui avait gagné de toute part. Il était temps de rentrer.

— Teresa ! Filippetto ! appela Marcovaldo, et il fit quelques pas pour les chercher. Excusez-moi, dit-il à l'homme, mais je vois plus mes autres gosses.

L'homme leva les sourcils :

— Y sont là-bas, dit-il ; y cueillent des cerises.

Marcovaldo tourna la tête et vit alors dans un fossé un cerisier autour duquel les hommes vêtus de gris s'affairaient, baissant les branches à l'aide du manche de leurs cannes, et cueillant les cerises. Teresa et ses deux frères, tout contents, en cueillaient aussi, en prenaient dans les mains des hommes et riaient avec eux.

— Y se fait tard, dit Marcovaldo, et y fait froid. On va rentrer...

Le gros homme agitait sa canne en direction des files de lumière qui s'allumaient, en bas, dans le lointain.

— Le soir, dit-il, avec cette canne je fais ma promenade en ville. Je choisis une rue, une file de réverbères, et je la suis, comme ça... Je m'arrête devant les vitrines ; je rencontre des gens ; je les salue... Quand vous marcherez en ville, pensez-y quelquefois : ma canne vous suit...

Les enfants revenaient couronnés de feuillage, la main dans la main des pensionnaires du sanatorium.

— Ce qu'on est bien ici, papa ! dit Teresa, on reviendra y jouer, dis ?

— Papa ! s'écria Michelino, pourquoi qu'on vient pas habiter, nous aussi, avec ces messieurs-là ?

— Il est tard. Dites au revoir à ces messieurs, et dites-leur aussi merci pour les cerises. En avant ! Allons-y !

Ils prirent le chemin du retour. Ils étaient fatigués. Marcovaldo ne répondait plus à leurs questions.

Filippetto voulut que son père le prenne dans ses bras ; Pietruccio, sur ses épaules. Teresa se faisait traîner par la main ; Michelino, le plus grand, marchait devant, tout seul, en donnant des coups de pied dans les cailloux.

Été
10. *Un voyage avec les vaches*

Les bruits de la ville qui pénètrent, les nuits d'été, dans les chambres de ceux qui ne peuvent dormir à cause de la chaleur, les vrais bruits de la cité nocturne, se font entendre quand, à une certaine heure, le vacarme anonyme des moteurs s'apaise, se tait et que, dans le silence, s'entendent soudain, discrets, nets, gradués suivant la distance, le pas d'un noctambule, le bruissement du vélo d'un vigile, le brouhaha lointain d'une bagarre, les ronflements dans les étages supérieurs, la plainte d'un malade, le tic-tac d'une pendule qui sonne toutes les heures. Jusqu'à ce que commence, à l'aube, le concert des réveils dans les H.L.M., et qu'un tram passe en ferraillant.

C'est ainsi qu'une nuit, entre sa femme et ses enfants qui transpiraient dans leur sommeil, Marcovaldo écoutait, les yeux fermés, ce qui, de cette poussière de sons étouffés, filtrant de la chaussée par les soupiraux, tombait jusqu'au fin fond de son sous-sol. Il entendait le talon guilleret et rapide d'une femme en retard, la semelle fatiguée du ramasseur de mégots aux stations irrégulières, le sifflotement du solitaire et, de temps en temps, des bribes d'une conversation entre copains, tout de même suffisantes pour deviner s'ils parlaient de sport ou d'argent. Mais, dans la nuit chaude, ces bruits perdaient tout intérêt, se dissolvaient comme amortis par la touffeur qui envahissait les rues vides ; et cependant ils paraissaient vouloir s'imposer, sanctionner leur propre domination sur ce royaume déserté. En tout être humain, Marcovaldo reconnaissait tristement un frère, cloué comme lui-même au temps des vacances — par les dettes, une famille nombreuse, un salaire de famine — à ce four de ciment poussiéreux et calciné.

Et comme si l'idée de ces vacances impossibles venait de lui ouvrir les portes du rêve, il lui sembla entendre dans le lointain un tintement de clarines, l'aboiement d'un chien, et même un bref mugissement. Mais il avait les yeux grands ouverts, ne rêvait pas et s'efforçait, en tendant l'oreille, d'obtenir une confirmation ou bien un démenti à ces impressions incertaines. Au vrai, une rumeur lui parvenait, comme faite de centaines et de centaines de pas, lents, désordonnés, sourds ; une rumeur qui se rapprochait et dominait tout autre bruit sauf, justement, le tintement rouillé des clarines.

Marcovaldo se leva, enfila sa chemise et son pantalon.

— Où tu vas ? demanda sa femme qui ne dormait que d'un œil.

— Y a un troupeau qui passe dans la rue. Je vais voir.

— Moi aussi ! Moi aussi ! s'écrièrent les gosses qui se réveillaient toujours au bon moment.

C'était un troupeau comme il en passe de nuit, traversant la ville au début de l'été, pour gagner la montagne lors de la transhumance. Une fois dans la rue, les gosses, les yeux encore tout gonflés de sommeil, y virent couler un fleuve de croupes grises et tachetées qui débordait sur le trottoir et frôlait les murs couverts d'affiches, les rideaux de fer baissés, les poteaux des panneaux de stationnement interdit, les pompes à essence. Avançant prudemment leurs sabots pour descendre du trottoir aux carrefours, le museau collé au derrière de celles qui les précédaient, sans même un semblant de curiosité, les vaches traînaient après elle leur odeur d'étable, de fleurs des champs, de lait, et le mélancolique tintement des clarines. La ville ne semblait guère les intéresser, tout absorbées qu'elles étaient déjà dans leur univers d'alpages humides, de brumes montagnardes et de gués de torrents.

Les vachers, au contraire, paraissaient impatients, comme agacés par l'air de supériorité de la ville ; ils s'essoufflaient à courir inutilement aux côtés du troupeau, levant leurs bâtons et hurlant d'une voix haletante et rauque. Les chiens, auxquels rien de ce qui est humain n'est étranger, affectaient la désinvolture, marchant la tête levée, agitant leurs sonnailles, attentifs à leur travail, mais on voyait bien qu'eux aussi étaient inquiets et embarrassés, sinon ils se seraient laissés distraire et se seraient mis à flairer les recoins, le pied des réverbères, les taches sur le pavé, ce qui est bien le premier souci de tous les chiens des villes.

— Papa, dirent les gosses, les vaches, c'est comme les trams ? Elles ont aussi des arrêts ? Où que c'est qu'il est le terminus des vaches ?

— Elles ont rien à voir avec le tram, expliqua Marcovaldo. Elles vont à la montagne.

— Elles mettent des skis ? demanda Pietruccio.

— Elles vont au pâturage, manger de l'herbe.

— Et on leur colle pas une amende si elles abîment les prés ?

Michelino, lui, ne posait pas de questions. Plus grand que les autres, il avait déjà ses idées sur les vaches et ne s'occupait présentement qu'à les vérifier, en examinant les bêtes, leurs cornes inoffensives, leurs croupes, leurs fanons bigarrés. Ce faisant, il suivait le troupeau trottant à ses côtés comme un chien de berger.

Quand les dernières vaches furent passées, Marcovaldo prit ses gosses par la main pour retourner dormir, mais il ne vit pas Michelino. Au sous-sol, il demanda à sa femme :

— Michelino est déjà revenu ?

— Michelino ? Il était donc pas avec toi ?

« Je parie qu'il a suivi le troupeau, et qui sait où il est allé », se dit Marcovaldo en regagnant la rue au pas de course. Le troupeau avait déjà traversé la place, et Marcovaldo dut rechercher la rue où il avait tourné, mais il semblait bien que d'autres troupeaux traversaient aussi la ville cette nuit-là, chacun par une rue différente, chacun se dirigeant vers sa propre vallée. Marcovaldo en rattrapa un, mais il s'aperçut que ce n'était pas le bon. Dans une rue transversale, il vit qu'un second troupeau, quatre rues plus bas, venait dans sa direction et courut à sa rencontre ; les vachers lui dirent alors qu'ils en avaient croisé un autre qui allait dans la direction opposée. Si bien que, jusqu'à ce que le dernier tintement de la dernière sonnaille se soit dissipé dans les lueurs de l'aube, Marcovaldo continua inutilement ses recherches.

Le commissaire de police, auquel il s'adressa pour signaler la disparition de son fils, lui dit :

— Derrière un troupeau ? Il a sûrement dû aller en montagne pour y passer ses vacances. Sacré veinard ! Il vous reviendra bien gras et tout bronzé, vous verrez.

L'hypothèse du commissaire se trouva confirmée, quelques jours plus tard, par un employé de la S.B.A.V. où travaillait Marcovaldo et qui revenait de vacances, les ayant prises avec un premier groupe. Il avait croisé l'enfant dans un col de montagne : Michelino était avec un troupeau, envoyait le bonjour à sa famille et se portait bien.

Marcovaldo allait et venait dans la poussiéreuse touffeur de la ville en pensant à son fils qui avait bien de la chance ; à son fils qui, maintenant, devait sûrement passer ses journées à l'ombre des sapins, sifflotant, un brin d'herbe à la bouche, regardant, un peu plus bas, les vaches se déplacer lentement sur l'alpage, et écoutant le murmure d'un ruisseau monter du fond de la vallée.

Domitilla, au contraire, était impatiente de le voir revenir :

— Tu crois qu'y reviendra en train ou en car ? Ça fait déjà une semaine... Ça fait déjà un mois. Y doit faire mauvais temps là-haut ?

Elle ne cessait de s'inquiéter, bien que d'en avoir un de moins à table chaque jour fût déjà un soulagement.

« Quel veinard ! se disait Marcovaldo. Il est au frais et se bourre de beurre et de fromage. »

Et chaque fois qu'il apercevait au bout d'une rue la découpure grise et blanche des montagnes, à peine voilée par un léger brouillard de chaleur, il avait l'impression d'être au fond d'un puits : il lui semblait voir briller là-haut, dans la lumière, des branches d'érables et de châtaigniers, et voltiger, bourdonnantes, des abeilles en liberté, avec Michelino, lézardant, heureux, se nourrissant de lait, de miel et de mûres.

Lui aussi, pourtant, attendait soir après soir le retour de son fils, bien que ne se préoccupant guère, comme sa femme, de l'horaire des trains et des cars : il demeurait toute la nuit l'oreille aux aguets, écoutant les pas sur le trottoir comme si le soupirail était un coquillage où s'entendaient, dès qu'on y appuyait l'oreille, les bruits de la montagne.

Et voilà qu'une nuit, se dressant brusquement

dans son lit, il entendit se rapprocher sur la chaussée — non, ce n'était pas une illusion — un piétinement caractéristique de sabots fendus, à quoi se mêlait le tintement des clarines.

Toute la famille se précipita dans la rue. Le troupeau revenait, lent et lourd. Michelino aussi était de retour : encore tout ensommeillé, à califourchon sur la croupe d'une vache, s'agrippant au collier de la bête, sa tête dodelinant à chaque pas. Ils le soulevèrent à bout de bras, le pressèrent contre leur poitrine, l'embrassèrent. Il semblait à demi étourdi.

— Tu vas bien ? C'était beau ?

— Oh... ouais...

— T'avais pas envie de revenir ?

— Si...

— C'est beau, la montagne ?

Il se tenait debout devant eux, les sourcils froncés, le regard dur.

— Je bossais comme un nègre, dit-il, et il cracha devant lui — il avait maintenant un visage d'homme. Chaque soir, y fallait courir derrière les trayeurs, d'une bête à l'autre, d'une bête à l'autre, avec des seaux, et puis aller les vider dans des bidons, vite, vite, toujours plus vite, jusqu'à ce qu'y fasse nuit. Et le matin de bonne heure, les bidons, y fallait les faire rouler jusqu'aux camions qui les descendaient en ville... Y fallait compter aussi, compter, toujours compter : les vaches, les bidons... Et gare si on se trompait...

— Mais t'allais quand même dans les prés, non ? Quand les vaches paissaient ?...

— J'avais jamais le temps. Toujours quelque chose à faire. Pour le lait, les litières, le fumier. Et tout ça, pour quel prix, je vous le demande ?... Comme j'avais pas de contrat de travail, vous savez ce que j'ai touché ? Une misère, une vraie misère. Mais maintenant, si vous croyez que je vais vous donner quelque chose, vous vous gourrez. Allez, allons nous coucher, je tombe de sommeil.

Il haussa les épaules, renifla un bon coup et entra dans la maison.

Cependant le troupeau s'éloignait, poursuivant son chemin au long de la chaussée et traînant derrière lui, trompeurs et engageants, l'odeur des foins et le tintement des clarines.

Automne
11. Le lapin vénéneux

Quand le jour arrive où l'on va quitter l'hôpital, on le sait dès le matin et, pour peu qu'on soit en forme, on se promène à travers les salles, on se remet à marcher comme lorsqu'on sera sorti, on sifflote, on joue au type guéri avec les malades, pas pour qu'ils nous envient, non, mais pour le plaisir de leur parler d'un ton encourageant. On voit le soleil au travers des baies vitrées, ou bien le brouillard quand il y en a, on entend les bruits de la ville. Et tout cela nous paraît fort différent de ce qu'on voyait ou entendait chaque matin — lumière et bruit d'un monde inaccessible — en nous éveillant dans notre lit de fer émaillé. Maintenant, dehors, il y a de nouveau notre univers et nous le reconnaissons : naturel et familier. Et, brusquement, voilà qu'on perçoit de nouveau l'odeur de l'hôpital.

Un matin, Marcovaldo, guéri, flânait de la sorte, en attendant pour s'en aller qu'on inscrive quelque chose sur son livret de la Mutuelle. Le docteur prit ses papiers, lui dit : « Attendez-moi là » et le laissa seul dans son laboratoire. Marcovaldo regardait les meubles blancs émaillés qu'il avait tellement détestés, les éprouvettes pleines de substances louches, et s'efforçait de se réjouir à l'idée qu'il était sur le point de quitter tout cela, mais il n'en ressentait pas pour autant ce plaisir auquel il se serait attendu. Peut-être était-ce le fait de devoir retourner au magasin pour y décharger des caisses, ou d'imaginer les bêtises que ses gosses avaient certainement dû faire en son absence ; et puis, surtout, il y avait tout ce brouillard qui l'attendait au-dehors et qui lui faisait penser qu'il allait sortir dans le vide, se dissoudre dans un néant d'humidité. Aussi regardait-il autour de lui, avec le vague besoin de s'attacher à quelque chose qui se serait trouvé là, mais tout ce qui l'entourait lui paraissait minable et le mettait mal à l'aise.

Ce fut alors qu'il aperçut un lapin dans une cage. C'était un lapin blanc, au pelage long et duveté, avec un petit bout de nez rose, des yeux rouges effrayés, et des oreilles presque sans poils aplaties sur le dos. On ne pouvait pas dire qu'il était gras, mais dans cette cage étroite, son corps ballonné et recroquevillé gonflait le grillage d'où dépassaient des touffes de poils qu'agitait un léger tremblement. Sur une table, près de la cage, traînaient des restes d'herbes et une carotte. Marcovaldo se dit qu'enfermé comme il l'était, le lapin devait être très, très malheureux de voir cette carotte et de ne pouvoir la manger. Alors il ouvrit la cage, mais l'animal n'en sortit pas : il restait dedans, immobile, avec seulement un petit mouvement du museau, comme s'il faisait mine de mastiquer pour se donner une contenance. Marcovaldo prit la carotte, l'approcha du lapin, puis la retira lentement pour engager celui-ci à sortir. Le lapin suivit, mordit prudemment dans la carotte, puis se mit à la grignoter avec application dans la main de Marcovaldo. Celui-ci lui caressa le dos, tout en le palpant pour voir s'il était gras. On sentait un peu les os sous le poil. De cela et de la façon dont il tirait la carotte, on devinait qu'on devait le nourrir plutôt chichement. « S'il était à moi, se dit Marcovaldo, je le gaverais jusqu'à ce qu'y devienne comme un ballon. » Et il le regardait amoureusement, comme un éleveur qui parviendrait à faire coexister dans un même mouvement de l'âme l'affection qu'il porte à la bête et la perspective d'un bon civet. Voilà qu'à l'instant de partir, après les tristes jours d'une hospitalisation qui n'en finissait pas, il découvrait une présence amie qui aurait suffi à occuper ses heures et ses pensées. Et il lui fallait l'abandonner pour regagner la ville brumeuse, où on ne rencontre pas de lapins.

La carotte était presque finie. Marcovaldo prit la bête dans ses bras, cherchant autour de lui quelque chose d'autre à lui donner. Il lui mit le museau tout près d'un géranium en pot qui se trouvait sur le bureau du docteur, mais le lapin ne parut pas l'apprécier. Juste à ce moment, Marcovaldo entendit le pas du docteur qui revenait : comment lui expliquer pourquoi il tenait le lapin dans ses bras ? Marcovaldo portait un blouson de travail serré à la taille. Il fourra vivement le lapin dessous, boutonna le vêtement et, pour que le docteur ne vît point le renflement tressautant qu'il avait sur la poitrine, il le fit passer dans son dos. Apeuré, le lapin se tint coi. Marcovaldo reprit ses papiers, et fit repasser le lapin sur sa poitrine car il lui fallait se retourner pour sortir.

— Ah ! finalement, te voilà guéri ! dit M. Viligelmo, le chef magasinier, en le voyant arriver. Qu'est-ce qui t'est donc poussé là, demanda-t-il en désignant le renflement du blouson.

— Y m'ont mis un emplâtre chaud contre les crampes, dit Marcovaldo.

Au même moment, le lapin sursauta, et Marcovaldo bondit comme un épileptique.

— Qu'est-ce qui te prend ? s'exclama M. Viligelmo.

— C'est rien : j'ai le hoquet, répondit Marcovaldo tout en repoussant le lapin dans son dos.

— T'es pas encore tout à fait remis, à ce que je vois, dit le chef.

Le lapin cherchait à grimper sur le dos de Marcovaldo, et celui-ci secouait les épaules pour le faire descendre.

— T'as des frissons. Rentre chez toi, et tâche d'être guéri pour demain.

Marcovaldo rentra chez lui, tenant le lapin par les oreilles, comme un chasseur qui a de la chance.

— Papa ! Papa ! s'écrièrent les gosses en se pré-cipitant vers lui. Où que tu l'as pris ? Tu nous le donnes ? C'est un cadeau pour nous ?

Et ils voulaient tout de suite le lui arracher des mains.

— T'es revenu ? lui dit sa femme.

Et, au coup d'œil qu'elle lui lança, Marcovaldo comprit que le temps de son hospitalisation n'avait seulement servi à Domitilla qu'à accumuler de nou-veaux motifs de rancœur contre lui.

— Une bête vivante ? ajouta-t-elle. Qu'est-ce que tu veux en faire ? Ça salit partout.

Marcovaldo débarrassa la table et posa le lapin au milieu : l'animal s'aplatit comme s'il cherchait à disparaître.

— Gare à qui le touche ! dit-il. C'est notre lapin, et y va tranquillement engraisser jusqu'à la Noël.

— Mais c'est un lapin, ou une lapine ? demanda Michelino.

La possibilité que ce fût une lapine n'avait jamais effleuré Marcovaldo. Un nouveau plan lui vint aussi-tôt à l'esprit : si c'était une femelle, on pouvait lui faire faire des petits et faire de l'élevage. Déjà, dans son imagination, les murs humides du logement cédaient la place à une ferme verte en pleine cam-pagne.

C'était un lapin. Mais Marcovaldo avait désor-mais en tête cette idée d'élevage. Oui, bien sûr, c'était un mâle, mais un très beau mâle, auquel on pouvait donner une épouse et la possibilité de se créer une famille.

— Qu'est-ce qu'on va lui donner à manger, puisqu'on a tout juste assez pour nous ? demanda Domitilla d'un ton aigre.

— C'est mon affaire, dit Marcovaldo.

Le lendemain, à la S.B.A.V., il arracha une feuille à chacune des plantes vertes qui ornaient les bureaux de la direction, et qu'il sortait chaque matin pour les arroser, puis remettait en place : ces feuilles étaient larges, brillantes d'un côté, mates de l'autre. Il les glissa sous son blouson. Puis, apercevant une employée qui approchait avec un petit bouquet de fleurs, il lui demanda :

— C'est votre amoureux qui vous en a fait cadeau ? Vous voulez pas m'en donner une ?

Il empocha aussi la fleur.

A un garçon qui épluchait une poire, il dit :

— Laisse-moi la peau.

Et comme ça, avec une feuille par-ci, une écorce par-là, un pétale ailleurs, il espérait bien nourrir la bestiole.

A un moment donné, M. Viligelmo le fit appeler. « Est-ce qu'ils auraient remarqué quelque chose pour les plantes ? » se demanda Marcovaldo, habitué à se sentir toujours en faute. Chez le chef magasinier, il y avait le docteur de l'hôpital, deux types de la Croix-Rouge et un agent de police.

— Ecoute, lui dit le docteur, un lapin a disparu de mon laboratoire. Si tu sais quelque chose, il vaut mieux ne pas faire le malin. Parce que nous lui avons inoculé les germes d'une maladie terrible, et il peut la répandre dans toute la ville. Je ne te demande pas si tu l'as mangé, parce qu'à cette heure-ci tu ne serais plus de ce monde.

Une ambulance attendait au-dehors : ils y montèrent en hâte, et, avec un hurlement continu de sirène, traversèrent rues et avenues, fonçant vers la maison de Marcovaldo. Et le parcours était jalonné par une traînée de feuilles, d'épluchures et de fleurs que Marcovaldo jetait tristement par la fenêtre de la voiture.

Ce matin-là, la femme de Marcovaldo ne savait vraiment pas quoi mettre dans la marmite. Elle regarda le lapin que son mari avait rapporté la veille et qui était maintenant dans une cage de fortune pleine de copeaux de papier. « Il est tombé pile, se dit-elle, on a pas d'argent ; le mois a déjà filé en médicaments supplémentaires que la Mutuelle rembourse pas, les commerçants nous font plus crédit, pas question de faire de l'élevage et d'attendre la Noël pour le mettre au four. On a pas de quoi manger et y faudrait encore engraisser ce lapin-là ! »

— Isolina, dit-elle à sa fille, toi qu'es grande, y faut que t'apprennes à faire cuire un lapin. Commence par le tuer, dépouille-le, et puis je t'expliquerai comment y faut faire.

Isolina lisait un hebdomadaire de la presse du cœur.

— Non, geignit-elle. Commence par le tuer toi-même, dépouille-le, et puis je regarderai comment tu le fais cuire.

— Bravo ! T'es gentille ! dit sa mère. Moi, j'ai pas le courage de le tuer. Mais c'est pas compliqué : y suffit de le prendre par les oreilles et de lui donner un grand coup sur la nuque. Pour le dépouiller, on verra après.

— On verra rien, dit sa fille sans lever le nez de son hebdomadaire. Faut pas compter sur moi pour donner des coups sur la nuque d'un lapin vivant... Et pour ce qui est de le dépouiller, ça me viendrait même pas à l'idée.

Les autres gosses écoutaient cela, les yeux écarquillés.

La mère réfléchit un instant, les regarda et dit :

— Mes enfants...

Les enfants, comme s'ils s'étaient donné le mot, tournèrent le dos à leur mère et se dirigèrent vers la porte.

— Attendez, mes enfants ! dit Domitilla. Je voulais vous demander si cela vous ferait plaisir de sortir un peu avec le lapin. On va lui mettre un beau ruban au cou, et vous irez vous promener ensemble.

Les gosses s'arrêtèrent sur le seuil, se regardant l'un l'autre.

— Nous promener où ? demanda Michelino.

— Ben, vous pouvez faire un petit tour. Et puis vous irez voir Mme Diomira, vous lui apporterez le lapin et vous lui demanderez si elle veut bien nous le tuer et nous le dépouiller. Elle sait si bien faire ça...

La mère avait touché la corde sensible. Les

enfants, on le sait, se laissent toujours séduire par ce qui leur plaît, pour le reste, ils préfèrent n'y pas penser. Ils trouvèrent un long ruban couleur lilas, le nouèrent autour du cou de la bête et s'en servirent comme d'une laisse, se l'arrachant des mains et traînant derrière eux le lapin réticent et à demi étranglé.

— Dites à Mme Diomira, leur recommanda leur mère, qu'elle peut garder une cuisse pour elle. Non, dites-lui plutôt la tête. Bref, elle fera comme elle voudra.

Les enfants venaient à peine de sortir que le logement de Marcovaldo fut cerné et envahi par des infirmiers, des médecins et des agents de police. Marcovaldo se tenait au milieu d'eux, plus mort que vif.

— C'est bien ici qu'est le lapin qui a disparu de l'hôpital ? Vite, dites-nous où il est, mais ne le touchez surtout pas : il porte en lui les germes d'une maladie épouvantable !

Marcovaldo les mena devant la cage, mais elle était vide.

— Vous l'avez déjà mangé ?

— Non, non !

— Où est-il ?

— Chez Mme Diomira.

Ils sortirent, reprenant leur chasse, et frappèrent chez Mme Diomira.

— Le lapin ? Quel lapin ? Vous êtes fous ?

En voyant son logement envahi par des inconnus, en blouse blanche et en uniforme, qui cherchaient un lapin, la vieille dame manqua s'évanouir. Elle ignorait tout du lapin de Marcovaldo.

Au vrai, les trois enfants, voulant sauver le lapin de la mort, avaient eu l'idée de l'emmener en lieu sûr, de jouer un peu avec lui, puis de le laisser filer. Alors, plutôt que de s'arrêter à l'étage de Mme Diomira, ils décidèrent de monter jusqu'au toit-terrasse. Ils diraient à leur mère que le lapin avait cassé sa laisse et s'était échappé. Mais il n'était guère d'animal qui semblait aussi peu tenté de fuir que ce lapin-là. Lui faire monter un escalier était tout un problème : apeuré, il se recroquevillait à chaque marche. Ils finirent par le prendre dans leurs bras.

Une fois sur le toit-terrasse, ils voulurent le faire courir, mais il ne bougea pas. Ils le posèrent sur le bord d'une corniche pour voir s'il y aurait marché comme les chats : mais on aurait dit qu'il avait le vertige. Ils le hissèrent au sommet d'une antenne de télévision pour voir s'il s'y tenait en équilibre : non, il tombait. Déçus, les enfants arrachèrent le ruban et laissèrent la bête à un endroit où s'ouvrait devant elle le chemin des toits — mer fuyante et anguleuse — et s'en allèrent.

Demeuré seul, le lapin commença à bouger. Il fit quelques pas, regarda autour de lui, changea de direction, se retourna. Puis, par petits bonds, en sautillant, il se mit à progresser sur les toits. Il était né dans un clapier : son désir de liberté était assez limité. La seule bonne chose qu'il connaissait de la vie, c'était d'être un peu tranquille, sans avoir peur. Maintenant, il pouvait bouger sans que rien autour de lui ne l'effraie, comme il ne l'avait peut-être jamais fait de sa vie. L'endroit était insolite, mais il n'avait jamais pu se faire une idée précise de ce qui était insolite et de ce qui ne l'était pas. Et depuis qu'il sentait qu'un mal imprécis et mystérieux le rongeait, l'univers entier l'intéressait un peu moins chaque jour... Donc, il progressait sur les toits ; et les chats en le voyant sautiller se demandaient qui il était, et se retiraient craintivement.

Cependant, des mansardes, des lucarnes, des balcons, le cheminement du lapin ne passait pas inaperçu : les locataires commencèrent à s'agiter. L'un posa une bassine de salade sur le rebord de sa fenêtre, épiant derrière ses rideaux ; un autre lança sur les tuiles des trognons de poires qu'il entoura d'un lacet de ficelle ; un autre encore disposa tout au long de la corniche de petits morceaux de carottes qui aboutissaient à sa propre lucarne. Et un mot d'ordre courait de famille en famille, chez tous ceux qui habitaient sous les toits : « Aujourd'hui, civet de lapin » ou « Fricassée de lapin » ou « Lapin rôti ».

Le lapin avait remarqué ces manèges, ces offres silencieuses de nourriture. Et bien qu'il eût faim, il se méfiait. Il savait que chaque fois que les hommes cherchaient à l'attirer en lui offrant à manger, il en résultait quelque chose d'obscur et de douloureux pour lui : ou bien on lui enfonçait une seringue ou un bistouri sous la peau, ou bien on le fourrait de force sous un blouson boutonné, ou bien encore on le traînait au bout d'un ruban noué à son cou... Et le souvenir de ces malheurs ne faisait qu'un avec le mal qu'il sentait gagner en lui, avec la lente dégradation organique dont il était conscient, avec le pressentiment de la mort. Et aussi avec la faim. Mais comme il savait que, de toutes ces disgrâces, seule la faim pouvait être soulagée et qu'il reconnut que ces perfides humains pouvaient — outre lui faire éprouver de cruelles souffrances — lui donner un sentiment de protection et de chaleur humaine, dont il sentait également le besoin, il décida de se rendre, de se prêter au jeu des hommes : advienne que pourra. Il commença donc à manger les petits bouts de carotte l'un après l'autre, bien qu'il n'ignorât pas que cela le conduirait de nouveau dans une cage et au martyre, mais en lui permettant de se délecter — peut-être pour la dernière fois — de la bonne odeurs des nourritures terrestres. Il se rapprochait de la lucarne, et une main allait sûrement en sortir pour l'attraper : eh bien, non, la fenêtre se referma brusquement, en le laissant dehors. C'était là un fait qui échappait à son entendement : un piège qui refusait de se refermer sur lui ! Le lapin se retourna pour voir auquel des autres pièges il convenait de se laisser prendre. Mais on ôtait les feuilles de salade ; on jetait le lacet ; ceux qui regardaient de chez eux s'éclipsaient, fermaient soigneusement lucarnes et fenêtres ; les terrasses se vidaient.

Cela tenait au fait qu'une camionnette de la police avait traversé la ville, diffusant par haut-parleur le message suivant :

— Attention ! Attention ! Il a été perdu un lapin blanc à poils longs, atteint d'une grave maladie contagieuse ! Que toute personne qui le retrouvera sache bien que sa chair est vénéneuse, et même que son seul contact peut transmettre des germes nocifs ! Toute personne qui le verra se devra de le signaler immédiatement au poste de police, hôpital ou caserne de pompiers le plus proche !

La terreur se répandit sur les toits. Chacun se tenait sur ses gardes ; et dès que l'un ou l'autre apercevait le lapin qui, d'un bond mou, sautait d'un toit sur un toit voisin, il donnait aussitôt l'alarme et tout le monde disparaissait comme à l'approche d'une nuée de sauterelles. En équilibre instable, le lapin avançait sur les cimaises ; ce sentiment de solitude, juste au moment où il venait de découvrir la nécessité du voisinage de l'homme, lui paraissait encore plus menaçant, plus intolérable.

Pendant ce temps-là, le *cavaliere* Ulrico, vieux chasseur, avait chargé son fusil avec des plombs de chasse et était allé se poster sur une terrasse, derrière une cheminée. Quand il vit affleurer dans le brouillard l'ombre blanche du lapin, il tira ; mais son émotion était telle, à l'idée de la nocivité de la bête, que les plombs s'éparpillèrent et tombèrent un peu plus loin sur les tuiles, comme des grêlons. Le lapin les entendit ricocher, et l'un d'eux lui transperça l'oreille. Il avait compris : c'était une déclaration de guerre ; désormais tout rapport avec les hommes était rompu. Alors, en signe de mépris pour eux et pour ce qui lui apparaissait en quelque sorte comme une noire ingratitude, il décida d'en finir avec la vie.

Un toit en pente recouvert de tôle s'achevait dans le vide, dans le néant opaque du brouillard. Le lapin y posa ses quatre pattes, prudemment d'abord, puis se laissa aller. Et glissant de la sorte, dévoré et cerné par le mal, il allait vers la mort. Une gouttière le retint un instant au bord du toit, puis il perdit l'équilibre et tomba...

... Dans les mains gantées d'un pompier juché au sommet d'une échelle d'incendie. Frustré même de cet ultime geste de dignité animale, le lapin fut embarqué dans l'ambulance qui fila à toute allure en direction de l'hôpital. A son bord se trouvaient aussi Marcovaldo, sa femme et ses enfants, qu'on allait hospitaliser afin de les mettre en observation et de leur faire expérimenter une série de vaccins.

12. Le mauvais arrêt

Pour qui s'ennuie chez soi, s'y sentant mal à l'aise, le meilleur refuge, durant les froides soirées d'hiver, c'est encore le cinéma. La passion de Marcovaldo, c'étaient les films en couleurs sur écran large, lequel permet d'embrasser les plus vastes horizons : prairies, montagnes rocheuses, forêts équatoriales, îles où l'on vit couronné de fleurs. Il assistait toujours à deux séances, ne s'en allant seulement que lorsque le cinéma fermait ses portes, tout en continuant à vivre en imagination dans ces paysages de rêve, à respirer leurs couleurs. Mais rentrer chez lui sous la pluie, attendre le 30 à l'arrêt du tram, se dire que sa vie ne connaîtrait jamais d'autres perspectives que des trams, des feux de signalisation, des logements au sous-sol, des réchauds à gaz, du linge étendu sur une corde, des magasins avec des caisses, des paquets et des services d'emballage, tout cela faisait que la splendeur du film se dissolvait dans une tristesse terne et grise.

Ce soir-là, le film qu'il avait vu se déroulait dans les forêts de l'Inde : des nuages de vapeur montaient des sous-bois marécageux, des serpents rampaient au long des lianes et sur les statues d'anciens temples dévorés par la jungle.

A la sortie du cinéma, Marcovaldo ouvrit les yeux sur la rue, les referma, les rouvrit : il ne voyait rien. Absolument rien. Même pas à quelques mètres devant lui. Durant les heures où il était resté dans la salle, le brouillard avait envahi la ville, un brouillard épais, à couper au couteau, qui enveloppait les bruits et les choses, transformait les distances en un espace sans dimensions, mélangeait les lumières et la nuit, pour en faire des lueurs informes et qu'on ne pouvait situer.

Marcovaldo se dirigea machinalement vers l'arrêt du 30 et donna du nez dans le poteau du panneau. Brusquement, il se rendit compte qu'il était heureux : le brouillard, en effaçant le monde qui l'entourait, lui permettait de garder encore au fond des yeux les images de l'écran panoramique. Même le froid avait diminué, à croire que la ville s'était enveloppée dans la brume comme dans une couverture. Marcovaldo, emmitouflé dans son pardessus, se sentait à l'abri de toute sensation extérieure, planait, pouvait colorer ce vide avec les images de l'Inde, du Gange, de la jungle, de Calcutta.

Le tram arriva, évanescent comme un fantôme, sonnant doucement ; les choses n'avaient qu'un minimum d'existence ; pour Marcovaldo, ce soir-là, rester assis au fond du tram, en tournant le dos aux autres voyageurs, en fixant au-delà des vitres la nuit vide — seulement traversée par d'indistinctes présences lumineuses et par quelques ombres plus noires que la nuit —, pour Marcovaldo, c'était l'idéal pour rêver les yeux ouverts, pour projeter devant lui, où qu'il allât, un film sans fin sur un écran illimité.

Rêvant de la sorte, il avait oublié de compter les arrêts et, tout à coup, il se demanda où il se trouvait ; il vit le tram à peu près vide ; scruta les ténèbres par-delà la vitre, crut situer les lueurs qui émergeaient, se dit que son arrêt était le prochain, courut à la portière et descendit de justesse. Il regarda autour de lui, cherchant à se repérer. Mais ce minimum d'ombre et de lumière que ses yeux parvenaient à capter ne lui rappelait aucun endroit qu'il connut. Il s'était trompé d'arrêt et ne savait où il était.

Le demander à un passant, c'était tout simple ; mais — était-ce la solitude de l'endroit, l'heure, le temps rébarbatif ? — on ne voyait pas une ombre. Finalement, il en vit tout de même une, et il attendit qu'elle approchât. Non, elle s'éloignait ; peut-être qu'elle traversait ou marchait au milieu de la rue ; ce n'était peut-être pas un piéton mais un cycliste, sur un vélo sans lumière.

Marcovaldo cria :

— S'il vous plaît ! m'sieur ! Vous savez pas où se trouve la rue Pancrazio Pancrazietti ?

La silhouette s'éloignait encore, on ne la voyait presque plus.

— Par làààà..., dit-elle.

Mais on ne savait pas de quel côté elle voulait dire.

— A droite ou à gauche ? cria Marcovaldo.

Mais il ne savait pas s'il ne s'adressait point au néant. Une réponse lui parvint, ou plutôt une bribe de réponse : un « ... auche ! » qui pouvait tout aussi bien être un « ... oite ! » De toute façon, comme l'on ne voyait pas comment l'autre était tourné, droite ou gauche ne voulaient rien dire.

Maintenant, Marcovaldo se dirigeait vers une lueur qui semblait venir du trottoir d'en face, un peu plus loin. En fait, la distance était beaucoup plus grande qu'il n'y paraissait : il fallait traverser une espèce de place, avec un îlot herbeux en son milieu, et les flèches — seul signe intelligible — du sens giratoire pour les voitures. Il était tard, quelque café ou quelque bistrot devait sûrement être encore ouvert. Sur une enseigne lumineuse qu'il commençait à déchiffrer, on lisait « Bar »... Elle s'éteignit. Sur ce qui devait être une vitre éclairée, tomba, comme un rideau de fer, une lame de nuit. Le bar fermait, et — il lui sembla le comprendre juste à ce moment — il était encore très loin.

Autant se diriger vers une autre lumière : Marcovaldo ne savait pas s'il marchait droit devant lui, si le point lumineux vers lequel il se dirigeait était toujours le même, ou s'il se dédoublait, se multipliait par trois ou changeait de place. La bruine d'un noir un peu laiteux dans laquelle il avançait était si fine qu'il la sentait déjà, passant entre les fils du tissu comme au travers d'un tamis, s'infiltrer sous son pardessus, l'imbiber d'eau comme une éponge.

La lumière qu'il atteignit était celle de la porte embuée d'un bistrot. A l'intérieur, il y avait des consommateurs assis à des tables et d'autres debout au comptoir, mais, peut-être bien à cause du mauvais éclairage, là aussi les silhouettes semblaient floues, comme dans ces débits de boissons, sis en des temps anciens ou en de lointains pays, et qu'on voyait précisément au cinéma.

— Je cherche... vous savez peut-être où que c'est... la rue Pancrazietti..., commença de dire Marcovaldo.

Mais le bistrot était plein de bruit, des ivrognes riaient, le croyant également ivre ; les questions qu'il parvint à poser, les réponses qu'il parvint à obtenir étaient, elles aussi, nébuleuses et floues. D'autant plus que, pour se réchauffer, il avait d'abord commandé un quart de vin — ou plutôt se l'était laissé imposer par les gens du comptoir —, puis un demi-litre que suivirent encore quelques verres que lui offrirent les autres, avec de grandes tapes dans le dos. Bref, quand il quitta le bistrot, ses idées sur l'itinéraire qui devait le mener chez lui n'étaient pas plus claires qu'avant, mais en compensation le brouillard pouvait plus que jamais contenir toutes les couleurs et tous les continents.

Marcovaldo, la chaleur du vin lui réchauffant le corps, marcha durant un bon quart d'heure, ses pieds éprouvant continuellement le besoin de racler de droite et de gauche pour s'assurer de la largeur du trottoir — si tant était toutefois qu'il suivait encore un trottoir —, et ses mains ne cessant de tâter le mur — si toutefois il en suivait encore un. Le brouillard de ses idées s'éclaircit à mesure qu'il marchait, mais l'autre brouillard, le vrai, était toujours aussi dense. Il se rappelait qu'on lui avait dit au bistrot de prendre une certaine avenue, de la suivre durant cent mètres, puis de redemander à quelqu'un, mais, à présent, il ne savait pas à quelle distance du bistrot il se trouvait, ni s'il n'avait pas fait que tourner autour du même pâté de maisons.

L'endroit paraissait désert, entre des murs de brique pareils à des murs d'usine. A un coin, il devait certainement y avoir une plaque avec le nom de la rue, mais la lumière des globes électriques suspendus au-dessus du milieu de la chaussée n'arrivait pas jusque-là. Pour pouvoir lire la plaque, Marcovaldo grimpa sur le poteau d'un panneau de stationnement interdit. Il grimpa jusqu'à toucher la plaque du nez, mais l'inscription avait déteint, et il n'avait pas d'allumettes pour mieux l'éclairer. Au-dessus de la plaque et au sommet du mur se voyait un large rebord plat sur lequel Marcovaldo parvint à se hisser en se tenant d'un bras au poteau du panneau de stationnement interdit. Il avait aperçu, planté sur ce rebord, un grand écriteau blanchâtre. Il fit quelques pas sur le rebord du mur pour se rapprocher de l'écriteau ; là, la lumière des globes électriques éclairait un peu des lettres noires sur fond blanc mais le texte qu'il lut, *L'entrée est rigoureusement interdite à toute personne non autorisée*, ne lui fut d'aucun secours.

Le bord du mur était assez large pour qu'on pût y marcher sans perdre l'équilibre ; et, à la réflexion, cela valait bien mieux que le trottoir, car les globes électriques, traçant une longue bande claire dans le noir, étaient juste à la bonne hauteur pour éclairer la marche. En un certain point, le mur s'achevait et Marcovaldo se trouva devant le chapiteau d'une colonne ; non, le mur formait un angle droit et continuait...

D'angles en renfoncements, de bifurcations en colonnes, le parcours de Marcovaldo suivait un dessin irrégulier ; il crut plusieurs fois que le mur s'achevait, puis il découvrait qu'il continuait dans une autre direction. Après tant de détours, il ne savait plus dans quel sens il était tourné, ou plutôt de quel côté il aurait dû sauter pour regagner la rue. Sauter... Et si, du fait de la hauteur, la dénivellation avait augmenté ? Il s'accroupit au sommet d'une colonne, essaya de regarder en bas, de part et d'autre, mais pas un rayon de lumière n'arrivait jusqu'au sol : il pouvait aussi bien s'agir d'un petit saut de deux mètres que d'un abîme. Il ne lui restait plus qu'à continuer d'avancer au sommet du mur.

Un moyen de s'en sortir ne tarda pas à se présenter à lui. C'était une surface plate, plutôt blanche, attenant au mur : peut-être bien le toit d'un édifice, en ciment — ainsi que Marcovaldo put le constater en marchant dessus —, qui se prolongeait dans le noir. Il regretta aussitôt de s'y être aventuré : à présent, s'étant éloigné de la file des globes électriques, il n'avait plus de point de repère, et chacun de ses pas pouvait le mener au bord du toit ou même un peu plus loin, dans le vide, le noir.

Le noir était véritablement un gouffre. De petites lumières y brillaient, qui semblaient très éloignées ; mais si c'étaient des réverbères, le sol devait être encore plus bas. Marcovaldo se trouvait en un lieu, un espace impossible à imaginer : par moments des lumières rouges et vertes apparaissaient au-dessus de lui, formant des figures irrégulières comme des constellations. En scrutant ces lumières, le nez en l'air, il ne tarda point à faire un pas dans le vide, et tomba.

« Je suis mort ! » se dit-il. Mais au même moment il se retrouva assis dans un terrain mou ; ses mains tâtaient de l'herbe ; il était tombé dans un champ : il était indemne. Les lumières qui lui avaient semblé tellement éloignées étaient une suite d'ampoules électriques alignées au niveau du sol.

Un curieux endroit pour mettre des ampoules électriques, mais c'était tout de même bien commode, parce qu'elles lui traçaient un chemin. Ses pieds, maintenant, ne foulaient plus l'herbe mais bien l'asphalte : une grande avenue asphaltée s'étendait à travers champs, éclairée par ces lumières à ras de terre. Tout autour, rien : rien que ces lueurs colorées qui apparaissaient et disparaissaient là-haut, très loin, au-dessus de lui.

« Une avenue asphaltée doit bien conduire quelque part », se dit Marcovaldo, et il se mit à la suivre.

Il atteignit une bifurcation, ou plutôt un carrefour : chacune des branches de l'avenue était bordée par ces fameuses petites ampoules et désignée par d'énormes chiffres blancs peints sur le sol.

Il perdit courage. Pourquoi choisir de quel côté aller s'il n'y avait au-delà des avenues rien d'autre que cette prairie nue et ce brouillard vide ? Ce fut à ce moment qu'il vit bouger à sa hauteur des rayons de lumière. Un homme, vraiment un homme, les bras écartés, vêtu, semblait-il, d'une combinaison jaune, agitait deux disques lumineux comme ceux des chefs de gare.

Marcovaldo courut vers lui et, avant même de l'avoir rejoint, commença de dire, tout essoufflé :

— Hé !... Vous, dites voir, ici, dans tout ce brouillard, comment on fait, écoutez...

— Vous inquiétez pas, répondit tranquillement et poliment l'homme en jaune. Au-dessus de mille mètres, il n'y a plus de brouillard. Vous pouvez partir rassuré. Le petit escalier est là devant : les autres sont déjà montés.

C'étaient là des propos obscurs, mais encourageants. Ce qui plaisait surtout à Marcovaldo, c'était d'apprendre qu'il y avait d'autres personnes pas très loin. Il avança pour les rejoindre sans plus poser de questions.

Le petit escalier mystérieusement annoncé était vraiment un petit escalier avec des marches bien commodes, flanqué de deux garde-fous, et qui luisait dans le noir. Marcovaldo monta. Sur le seuil d'une petite porte, une jeune fille l'accueillit avec tant de gentillesse qu'il paraissait impossible qu'elle s'adressât à lui.

Marcovaldo se confondit en politesse :

— Mes respects, mademoiselle ! Bien des choses !

Glacé et mort de froid comme il était, il lui semblait incroyable de trouver enfin refuge sous un toit.

Il entra, cligna des yeux, ébloui par la lumière. Il n'était pas dans une maison. Où donc était-il ? Dans un autobus, lui sembla-t-il, un long autobus avec beaucoup de places inoccupées. Il s'assit ; d'ordinaire pour rentrer chez lui, il ne prenait pas l'autobus, mais le tram, car le billet coûtait un peu moins, mais, cette fois-ci, il s'était égaré dans un quartier tellement éloigné qu'il n'y avait certainement que les autobus qui le desservaient. Quelle chance d'être arrivé à temps pour ce voyage qui devait sûrement être le dernier de la nuit. Et comme les fauteuils étaient doux et accueillants ! Dorénavant, maintenant qu'il le savait, Marcovaldo prendrait toujours l'autobus, même si les voyageurs y étaient soumis à certaines obligations — « Vous êtes priés de ne pas fumer et d'attacher vos ceintures... », disait un haut-parleur —, même si le vrombissement du moteur qui démarrait était franchement excessif.

Un homme en uniforme passait entre les sièges.

— Excusez-moi, monsieur le receveur, dit Marcovaldo, savez-vous si y a un arrêt du côté de la rue Pancrazio Pancrazietti ?

— Comment dites-vous, monsieur ? La première escale est Bombay, puis Calcutta et Singapour.

Marcovaldo jeta un coup d'œil autour de lui. D'impassibles Indiens, portant barbe et turban, étaient assis aux autres places. Il y avait même quelques femmes, enveloppées dans des saris brodés, avec un petit rond de laque au milieu du front.

Par les fenêtres, la nuit apparaissait pleine d'étoiles, maintenant que l'avion, ayant traversé une épaisse couche de brouillard, volait dans le ciel limpide des grandes altitudes.

13. Là où le fleuve est le plus bleu

C'était en un temps où les aliments les plus simples recelaient des menaces insidieuses et relevaient de la fraude. Il n'était pas de jour où le journal ne révélait des choses épouvantables à propos du panier de la ménagère : le fromage était fait de matière plastique ; le beurre, avec des bougies ; dans les fruits et légumes, le taux d'arsenic des insecticides était plus élevé que celui des vitamines ; les poulets étaient engraissés avec certaines pilules synthétiques qui pouvaient transformer en poulet ceux qui en mangeaient une cuisse. Le poisson frais avait été pêché l'année précédente en Islande, et on lui maquillait les yeux pour qu'il parût de la veille. Une souris, dont on ne savait pas si elle était vivante ou morte, avait été découverte dans un bidon de lait. Des bouteilles d'huile ne coulait point le suc doré des olives, mais de la graisse de vieux mulets opportunément filtrée.

A son travail ou au café, Marcovaldo écoutait

tout cela et, chaque fois, il avait l'impression que le sabot d'un mulet lui martelait l'estomac ou qu'une souris courait dans son œsophage. Chez lui, quand sa femme Domitilla revenait de faire son marché, la vue de son cabas, qui le réjouissait tant autrefois, avec les céleris, les aubergines, le papier rêche et poreux des paquets de l'épicier et du charcutier, lui inspirait maintenant la même crainte que si des présences ennemies s'infiltraient au travers des murs de son logement.

« Tous mes efforts, se promit-il, devront tendre à pourvoir ma famille d'aliments qui ne soient pas passés par les mains suspectes des spéculateurs. » Le matin, en se rendant à son travail, il rencontrait parfois des types, avec des cannes à pêche et des bottes de caoutchouc, qui se dirigeaient vers les bords du fleuve. « Voilà la solution », se disait Marcovaldo. Mais là, en ville, le fleuve, qui charriait des ordures et où se déversaient les eaux sales et les égouts, lui inspirait une profonde répugnance. « Y faut que je trouve un endroit, se dit Marcovaldo, où l'eau soit de la vraie eau et les poissons de vrais poissons. C'est là que je jetterai ma ligne. »

Les jours commençaient à rallonger. Après son travail, Marcovaldo s'astreignait à explorer avec son cyclomoteur le fleuve et ses affluents en amont de la ville. Ce qui l'intéressait surtout, c'étaient les endroits où l'eau coulait le plus loin possible de la route asphaltée. Il progressait alors par les sentiers, les boqueteaux de saules, aussi loin qu'il pouvait aller avec son cyclomoteur, puis — le laissant dans un buisson — il continuait à pied jusqu'au bord du fleuve. Une fois, il s'était égaré : il tournaillait sur des pentes broussailleuses et escarpées et ne voyait plus aucun sentier, ne savait plus de quel côté était le fleuve : tout à coup, en écartant des branchages, il aperçut quelques mètres plus bas — en un endroit où le fleuve s'élargissant formait presque un petit bassin — une eau calme, silencieuse, et dont la couleur, d'un bleu limpide, évoquait un lac de montagne.

L'émotion ne l'empêcha pourtant pas d'observer attentivement le friselis du courant. Et voilà que sa patience était récompensée : un petit bruit, le frémissement caractéristique d'une nageoire à la surface de l'eau, et puis un autre, un autre encore ! Merveilleux ! A n'en pas croire ses yeux : c'était là le lieu de rendez-vous de tous les poissons du fleuve, le paradis du pêcheur, un paradis encore ignoré de tous peut-être, sauf de lui. Au retour — la nuit commençait à tomber —, il s'arrêta pour graver des repères sur l'écorce des ormes et faire des petits tas de pierres en certains endroits afin de pouvoir retrouver ce chemin.

Maintenant il ne lui restait plus qu'à s'équiper. A vrai dire, il y avait déjà pensé : il avait déjà repéré une dizaine de mordus de la pêche parmi ses voisins et le personnel de la S.B.A.V. A demi-mots et par allusions, en promettant à chacun de lui indiquer — dès qu'il aurait été sûr de la chose — un endroit plein de tanches connu de lui seul, il réussit à se faire prêter, un peu par l'un, un peu par l'autre, l'attirail de pêcheur le plus complet qu'on eût jamais vu.

Au point qu'il ne lui manquait absolument rien : canne à pêche, ligne, hameçons, appâts, épuisette, grandes bottes de caoutchouc, panier, une belle matinée de printemps, deux heures de temps — de six à huit, avant d'aller au travail —, le fleuve avec les tanches... Impossible de ne pas en attraper ! En fait, il suffisait de lancer la ligne et il en prenait ; les tanches mordaient à l'hameçon sans la moindre méfiance. Vu qu'avec la ligne c'était si facile, il essaya avec l'épuisette : c'étaient des tanches si bien disposées qu'elles se précipitaient dedans la tête la première.

— Hé ! vous, là-bas !

Au bord du fleuve, là où il faisait un coude, un type, avec une casquette de garde, se tenait debout parmi les peupliers et le regardait sévèrement.

— Moi ? Qu'est-ce qu'y a ? répondit Marcovaldo sentant peser une menace inconnue sur ses tanches.

— Où les avez-vous pris, ces poissons-là ? demanda le garde.

— Hein ? Pourquoi ?

Et le cœur de Marcovaldo battait déjà la chamade.

— Si vous les avez pêchés là, jetez-les tout de suite : vous n'avez pas vu l'usine, là en amont ? — Et il désignait un long et bas édifice qu'à présent, après avoir tourné le coude du fleuve, on apercevait au-delà des saules, et qui crachait de la fumée dans le ciel et, dans l'eau, un épais nuage d'une invraisemblable couleur qui tenait le milieu entre le bleu turquoise et le violet. — Vous devez au moins avoir vu la couleur de l'eau, non ? Fabrique de peinture : le fleuve est pollué et les poissons empoisonnés à cause de ce bleu. Jetez-les tout de suite, sinon je vous les confisque !

Marcovaldo aurait voulu les jeter immédiatement au loin, s'en débarrasser, comme si leur odeur seule suffisait à l'empoisonner. Mais il ne voulait pas avoir l'air de caner devant le garde :

— Et si je les avais pêchés un peu plus haut ?

— Alors c'est une autre paire de manches. Je vous les confisque et je vous colle une amende. Un peu plus haut, en amont de l'usine, il y a une réserve de pêche. Vous ne voyez pas l'écriteau ?

— Moi, vous savez, s'empressa de dire Marcovaldo, je porte une canne à pêche comme ça, pour épater les copains ; mais les poissons, je les ai achetés chez le poissonnier du patelin d'à côté.

— Rien à dire alors. Il vous reste seulement à acquitter les droits d'octroi, si vous voulez les emporter avec vous : parce qu'ici on n'est plus en ville.

Marcovaldo avait déjà ouvert son panier et en versait le contenu dans le fleuve. L'une des tanches devait être encore vivante, car elle disparut en frétillant, toute contente.

14. La lune et le «gnac»

La nuit durait vingt secondes, et vingt secondes aussi le GNAC. Pendant vingt secondes, on voyait le ciel bleu traversé de nuages noirs, la faucille dorée de la lune croissante, entourée d'un halo immatériel, impalpable, puis des étoiles dont les multiples points scintillants — plus on les regardait — allaient s'épaississant jusqu'aux nuages de poussière de la Voie lactée. Tout cela vu très vite, très vite : chaque détail sur quoi on s'arrêtait vous faisant perdre quelque chose de l'ensemble, car les vingt secondes finissaient tout de suite, et le GNAC commençait.

Le GNAC était une partie du panneau publicitaire SPAAK-COGNAC qui se trouvait sur le toit d'en face, qui restait allumé vingt secondes et, vingt secondes, éteint. Quand il était allumé, on ne voyait rien d'autre. La lune pâlissait brusquement, le ciel devenait uniformément noir et plat, les étoiles ne scintillaient plus, les chats et les chattes qui, depuis dix secondes, miaulaient amoureusement en se frôlant, l'air langoureux, le long des gouttières et au faîte des toits, se blottissaient sur les tuiles, le poil hérissé, dans la fluorescente lumière du néon.

Regardant cela de la fenêtre de la mansarde où elle habitait, la famille de Marcovaldo était en proie à des sentiments fort divers. C'était la nuit, et Isolina, qui était maintenant une grande jeune fille, se sentait transportée par le clair de lune, son cœur fondait, et même le grésillement le plus étouffé des transistors des étages inférieurs avait pour elle des allures de sérénade. Puis c'était le GNAC, et les radios semblaient prendre un autre rythme, un rythme de jazz, et Isolina pensait aux dancings tout illuminés, et elle, pauvrette, toute seule là-haut... Pietruccio et Michelino écarquillaient les yeux dans la nuit et se laissaient envahir par la chaude et douce peur d'être entourés de forêts pleines de brigands. Puis, de nouveau, le GNAC, et ils bondissaient, s'affrontant, le pouce dressé et l'index tendu : « Haut les mains ! Je suis Superman ! » Domitilla, leur mère, disait chaque fois que la nuit cédait la place au GNAC : « Maintenant, les gosses, faut les ôter de là, la fraîcheur du soir peut leur faire du mal... Et Isolina à la fenêtre à cette heure-ci, c'est pas convenable ! » Mais tout était de nouveau lumineux, électrique, au-dehors comme à l'intérieur, et Domitilla avait alors l'impression d'être en visite dans le grand monde.

Fiorello, lui, jeune homme mélancolique, voyait apparaître dans l'arrondi du G, chaque fois que le GNAC s'éteignait, la petite fenêtre à peine éclairée d'une mansarde et, derrière la vitre, le visage d'une jeune fille couleur de lune, couleur de néon, couleur de lumière dans la nuit, et une bouche qui était presque encore d'une enfant et qui, dès qu'il lui souriait, écartait imperceptiblement les lèvres, prête, semblait-il, à sourire vraiment quand, soudain, l'impitoyable G du GNAC se réilluminait : le visage perdait alors sa netteté, devenait une pauvre ombre pâle ; et Fiorello ne savait plus si la bouche de petite fille avait ou non répondu à son sourire.

Au milieu de ce tourbillon de passions, Marcovaldo s'efforçait d'apprendre à ses enfants la position des corps célestes :

— Ça, c'est le Grand Chariot, un, deux, trois, quatre ; et, là, c'est le Timon. Ça c'est le Petit Chariot. L'Etoile polaire indique le nord.

— Et cette autre, là, elle indique quoi ?

— Elle indique le C, mais elle a rien à voir avec les étoiles. C'est la dernière lettre du mot COGNAC. Les étoiles, au contraire, indiquent les points cardinaux : nord, sud, est, ouest. Le croissant de la lune est tourné vers l'ouest. Croissant au ponant, lune augmentant. Croissant au levant, lune diminuant.

— Papa, alors le COGNAC diminue ? Le croissant du C est au levant !

— Augmentant ou diminuant ont rien à voir là-dedans : c'est une réclame qu'est mise là par la société Spaak.

— Et la lune, qui c'est qui l'a mise où qu'elle est ?

— La lune, c'est pas une société qui l'a mise là. C'est un satellite, la lune, et elle est toujours là.

— Si elle y est toujours, pourquoi que son croissant change ?

— C'est les quartiers. Et la lune, on en voit seulement un bout.

— Le COGNAC aussi on n'en voit qu'un bout.

— Parce que le toit de l'immeuble Pierbernardi est plus haut.

— Plus haut que la lune ?

Et comme cela, chaque fois que le GNAC s'allumait, les astres de Marcovaldo se confondaient avec les commerces terrestres ; et Isolina transformait un soupir en un rythme fredonné de mambo et disparaissait, pauvre jeune fille de la mansarde, dans l'anneau aveuglant et froid du G, y cachant sa réponse au baiser que Fiorello avait finalement eu le courage de lui envoyer du bout des doigts ; et Filippetto et Michelino, les poings devant la figure, jouaient au mitraillage aérien — tac-tac-tac-tac... —, prenant pour cible l'inscription lumineuse qui s'éteignait au bout de vingt secondes.

— Tac-tac-tac... T'as vu, papa, je l'ai éteint d'une seule rafale ! dit Filippetto.

Mais déjà, n'étant plus dans la clarté du néon, son fanatisme guerrier avait disparu et ses yeux étaient rouges de sommeil.

— Ah ! si ça pouvait être vrai ! ne put s'empêcher de dire Marcovaldo. Je vous ferais voir le Lion, les Gémeaux...

— Le Lion ? s'exclama Michelino enthousiasmé. Attends !

Il lui était venu une idée. Il prit son lance-pierres, le chargea avec des petits cailloux dont il avait toujours une réserve en poche, et tira de toutes ses forces contre le GNAC.

On entendit cette grêle tomber éparpillée sur le toit d'en face, sur les tôles de la gouttière, le bruit de verre brisé des vitres d'une fenêtre touchée, le gong d'un caillou tombant sur la partie métallique d'un phare d'auto. Une voix monta de la rue :

— Il pleut des pierres ! Hé, là-haut !... Salopards !

Mais la publicité lumineuse s'était éteinte au bout de ses vingt secondes, juste au moment du tir du lance-pierres. Et dans la mansarde, tout le monde se mit mentalement à compter : un, deux, trois... dix, onze... jusqu'à vingt. A dix-neuf, ils soufflèrent, comptèrent vingt, puis vingt et un et vingt-deux, dans la crainte d'avoir compté trop vite. Mais non, rien, le GNAC ne se rallumait pas, il n'était plus qu'un noir gribouillis, quasiment indéchiffrable, s'entrelaçant à son bâti de soutien comme le raisin à la treille.

— Aaah ! s'écrièrent-ils tous.

Et la voûte céleste se leva au-dessus d'eux, brillant de myriades et de myriades d'étoiles.

Marcovaldo qui, la main levée, s'apprêtait à donner une taloche à Michelino, se sentit comme projeté dans l'espace. L'obscurité, qui régnait maintenant à la hauteur des toits, formait comme une barrière sombre qui excluait le monde d'en bas où continuaient à tourbillonner les hiéroglyphes jaunes, verts et rouges, les clins d'yeux des feux de signalisation, le ferraillement lumineux des tramways vides, et les autos invisibles qui poussent devant elles le rayon de lumière de leurs phares. De ce monde-là n'arrivait là-haut qu'une phosphorescence diffuse, vague comme une fumée. Et rien que de lever les yeux — des yeux qui, maintenant, n'étaient plus éblouis —, la perspective des espaces s'ouvrait, les constellations se dilataient en profondeur, le firmament tournait de partout, sphère qui contient tout et qui ne connaît pas de limites. Seule une moindre épaisseur de sa trame formait comme une brèche du côté de Vénus, afin de la faire ressortir, seule, là-haut au-dessus de la Terre, seule avec sa blessure stagnante de lumière explosée et concentrée en un seul point.

Suspendue dans ce ciel, la nouvelle lune, au lieu d'affecter l'apparence abstraite d'une demi-lune, révélait sa nature de sphère opaque éclairée tout autour par les rayons obliques d'un soleil perdu pour la Terre mais qui conservait tout de même — comme cela se voit seulement durant certaines nuits du début de l'été — sa chaleureuse couleur. Et Marcovaldo, à regarder cette étroite rive de lune taillée, là, entre l'ombre et la lumière, rêvait mélancoliquement de pouvoir rejoindre cette espèce de plage demeurée miraculeusement ensoleillée dans la nuit.

Ils restaient tous là, à leur fenêtre ; les gosses, effrayés par les conséquences démesurées de leur geste ; Isolina, transportée, comme en extase ; Fiorello qui, seul de tous, apercevait la mansarde chichement éclairée et le sourire lunaire de la jeune fille. Domitilla se secoua :

— Allez ! allez ! y fait nuit, qu'est-ce que vous faites encore à la fenêtre ? Vous allez attraper la crève, sous ce clair de lune !

Michelino pointa son lance-pierres vers le ciel :

— Eh ben, moi, je vais l'éteindre, la lune !

Il fut empoigné et mis au lit.

Ainsi, pour le reste de cette nuit-là et durant toute la nuit suivante, la publicité lumineuse du toit d'en face ne disait plus que SPAAK-CO et, de la mansarde de Marcovaldo, on voyait enfin le firmament. Fiorello et la jeune fille lunaire s'envoyaient des baisers du bout des doigts, et peut-être qu'en se parlant par signes ils finiraient bien par se donner un rendez-vous.

Mais, le matin du surlendemain, deux petites, petites silhouettes se découpaient dans le bâti de la publicité lumineuse : c'étaient deux électriciens en combinaison qui vérifiaient les tubes fluorescents et les fils électriques. Avec la mine des vieillards qui prévoient le temps qu'il va faire, Marcovaldo mit le nez à la fenêtre et dit :

— Cette nuit, ce sera de nouveau une nuit de GNAC.

On frappait à la porte. On ouvrit. C'était un monsieur avec des lunettes.

— Excusez-moi, dit-il, est-ce que je pourrais jeter un coup d'œil par votre fenêtre ? Merci. — Et il se présenta : *Dottor*[1] Godifredo, agent de publicité lumineuse.

« Nous v'là frais ! Y vont nous faire payer la casse ! » se dit Marcovaldo et, déjà, il faisait les gros yeux à ses gosses, oublieux de son extase astronomique. Il tenta de prendre les devants :

— C'est des gosses, vous savez, y lancent des pierres, comme ça, sur les moineaux, et je sais pas comment que ça se fait que cette réclame de la Spaak s'est déglinguée. Mais je les ai punis, oui, je les ai punis ! Et vous pouvez être sûr qu'y recommenceront pas.

Le *dottor* Godifredo tendit une oreille attentive.

— A vrai dire, moi je travaille pour le Cognac Tomahawk, pas pour Spaak. J'étais venu pour étudier la possibilité d'installer une publicité lumineuse sur votre toit. Mais dites, dites toujours, ça m'intéresse...

Et ce fut ainsi qu'une demi-heure plus tard, Marcovaldo signait un contrat avec le cognac Tomahawk, principal concurrent de la marque Spaak : les gosses devaient viser le GNAC avec leur lance-pierres, chaque fois qu'après avoir été réparée, l'inscription lumineuse se remettait en marche.

— Ça devrait être la goutte d'eau qui fait déborder le vase, dit le *dottor* Godifredo.

Il ne se trompait pas : déjà au bord de la faillite, à cause de l'énormité de son budget publicitaire, la

---

1. *Dottor* (docteur) : titre universitaire italien homologue à celui des universités françaises. Il est parfois de complaisance. (N.d.T.)

société Spaak vit dans les pannes successives de sa plus belle réclame lumineuse un symptôme de mauvais augure. Le fait qu'il y avait des fois où on lisait COGAC, d'autres CONAC et d'autres encore CONC amenait les créanciers à penser à des difficultés financières ; et l'agence qui s'occupait de la publicité de la Spaak se refusa finalement à faire de nouvelles réparations si on ne lui payait pas l'arriéré. La réclame définitivement éteinte alarma davantage encore les créanciers : la société Spaak fit faillite.

Dans le ciel de Marcovaldo, la lune brillait de toute sa splendeur.

Elle en était à son dernier quartier, quand les électriciens revinrent ramper sur le toit d'en face. Et cette nuit-là, en caractères de feu — des caractères deux fois plus grands et plus larges qu'avant —, on pouvait lire COGNAC TOMAHAWK. Il n'y avait plus ni lune ni firmament, mais seulement COGNAC TOMAHAWK, COGNAC TOMAHAWK, COGNAC TOMAHAWK s'allumant et s'éteignant toutes les deux secondes.

Le plus peiné fut bien Fiorello : la fenêtre de la jeune fille lunaire avait disparu derrière un énorme, un impénétrable W.

Automne
15. La pluie et les feuilles

A la S.B.A.V., au nombre des diverses tâches qui incombaient à Marcovaldo, il y avait celle d'arroser chaque matin la plante en pot de l'entrée. C'était une de ces plantes vertes qu'on a chez soi, avec une tige bien droite et mince d'où se détachent, de part et d'autre, sur de longs rameaux, des feuilles larges et brillantes : bref, une de ces plantes comme ça en forme de plante, avec des feuilles comme ça en forme de feuille, et qui n'ont pas l'air d'être vraies. Mais c'était tout de même une plante et, comme telle, elle souffrait, parce que de demeurer là, entre le rideau et le porte-parapluies, elle manquait d'air, de lumière et de rosée. Chaque matin, Marcovaldo découvrait quelques signes inquiétants : une feuille semblait trop lourde pour le rameau qui la supportait et qui s'inclinait sous son poids ; une autre se piquetait de taches rouges comme les joues d'un enfant atteint de la rougeole ; la pointe d'une troisième jaunissait jusqu'à ce que, paf ! on retrouve l'une ou l'autre par terre. Pendant ce temps — et c'était là ce qui faisait le plus mal au cœur —, la tige poussait, poussait, non plus feuillue, mais nue comme un bâton avec une petite houppe à son sommet qui la faisait ressembler à un palmier.

Marcovaldo ramassait les feuilles tombées sur le sol, dépoussiérait celles qui étaient encore saines, versait au pied de la plante une bonne mesure d'eau — lentement afin qu'elle ne déborde point et ne salisse pas les carreaux —, un demi-arrosoir, aussitôt absorbé par la terre du pot. Et il apportait à l'accomplissement de cette tâche une attention qu'il n'accordait guère à aucune de ses autres besognes, une sorte de compassion comme s'il s'agissait des malheurs d'un membre de sa famille. Et il soupirait — on ne sait si c'était en pensant à la plante ou à lui-même — car il reconnaissait un frère de misère dans cet arbuste maigrichon qui jaunissait entre les murs de la S.B.A.V.

La plante — on l'appelait simplement ainsi comme si tout autre nom plus précis eût été inutile en un milieu où elle représentait à elle seule le règne végétal —, la plante avait une telle importance dans la vie de Marcovaldo qu'elle occupait ses pensées à toute heure du jour et de la nuit. L'air dont il scrutait le ciel pour observer les nuages n'était plus celui du citadin qui se demande s'il doit ou non prendre son parapluie, mais bien celui du paysan qui guette de jour en jour la fin de la sécheresse. Et dès que, levant le nez de son travail, il apercevait en contre-jour, par la petite fenêtre du magasin, le rideau de pluie qui avait commencé de tomber silencieuse et drue, il lâchait tout, courait à la plante, prenait le pot dans ses bras et le déposait dehors dans la cour.

La plante, en sentant l'eau couler sur ses feuilles, paraissait s'étirer afin d'offrir aux gouttes la plus grande surface possible et se parer aussi, toute joyeuse, de son vert le plus brillant : c'était du moins ce qu'il semblait à Marcovaldo qui la contemplait, oubliant de se mettre à l'abri.

Ils demeuraient là dans la cour, l'homme et la plante, l'un en face de l'autre. L'homme éprouvant presque des sensations de plante sous la pluie ; la plante — déshabituée du plein air et des phénomènes de la nature —, stupéfaite presque autant qu'un homme qui se trouve brusquement mouillé de la tête aux pieds, avec ses vêtements trempés. Marcovaldo, le nez en l'air, savourait l'odeur de la pluie, une odeur qui, pour lui, était déjà celle des bois et des champs, s'efforçant de retrouver de vagues et lointains souvenirs au fond de sa mémoire. Mais parmi ces souvenirs-là, il en était un qui émergeait plus net et plus récent : celui des douleurs rhumatismales qui l'accablaient chaque année ; et il courait alors se mettre à l'abri.

La journée de travail achevée, il fallait fermer le magasin. Marcovaldo demanda au chef magasinier :

— Je peux laisser la plante là, dans la cour ?

Son chef, M. Viligelmo, était un type qui fuyait les responsabilités trop lourdes :

— T'es fou, non ? Et si on nous la vole ? Qui sera responsable ?

Marcovaldo, pourtant, à voir le profit que la plante tirait de la pluie, n'avait guère envie de la remettre dans l'entrée : ç'aurait été gaspiller un don du ciel.

— Je pourrais la garder avec moi jusqu'à demain matin, proposa-t-il. Je la charge sur mon porte-bagages et je l'emmène chez moi... Comme ça j'y fais prendre le plus de pluie possible...

M. Viligelmo réfléchit un instant, puis :

— D'accord, dit-il. Mais c'est toi qu'en réponds.

Maintenant Marcovaldo traversait la ville sous la pluie diluvienne, courbé sur le guidon de son cyclo-moteur, encapuchonné dans un anorak imperméable. Il avait attaché le pot derrière lui sur le porte-bagages ; et le cyclo, l'homme et la plante sem-blaient ne faire qu'un. Ou plutôt l'homme, voûté, enfoui dans son anorak, disparaissait, et on ne voyait plus seulement qu'une plante en cyclomoteur. De temps en temps, Marcovaldo tournait la tête sous son capuchon et regardait derrière lui jusqu'à ce qu'il vît frétiller une feuille, une feuille ruisselante de pluie : et, chaque fois, la plante lui paraissait plus grande et plus feuillue.

A peine arriva-t-il chez lui — une mansarde ouvrant sur les toits —, la plante dans les bras, que ses enfants l'entourèrent en faisant la ronde :

— Un arbre de Noël ! Un arbre de Noël !

— Mais non, qu'est-ce qui vous prend ? protesta Marcovaldo. Noël, c'est pas demain la veille. Attention aux feuilles, elles sont fragiles !

— Déjà qu'on est dans ce logement comme dans une boîte à sardines, grommela Domitilla, y manquait plus que tu nous apportes un arbre ! Y nous reste plus qu'à sortir...

— Mais c'est pas un arbre, c'est une petite plante. Je vais la mettre sur le rebord de la fenêtre...

L'ombre de la plante posée sur ledit rebord se voyait de l'intérieur de la mansarde. Au dîner, Marcovaldo ne regardait pas dans son assiette mais au-delà des vitres de la fenêtre.

Depuis qu'il avait quitté le sous-sol pour cette mansarde, la vie de Marcovaldo et des siens s'était beaucoup améliorée. Mais le fait d'habiter sous les toits avait aussi ses inconvénients : le plafond, par exemple, laissait filtrer des gouttes d'eau. Elles tombaient en quatre ou cinq points bien précis, à intervalles réguliers, et Marcovaldo devait mettre dessous des bassines ou des casseroles. Les nuits de pluie, quand tout le monde était couché, on entendait le tic-tic-tic des différentes gouttes ; et cela qui faisait froid dans le dos présageait des rhumatismes. Cette nuit-là, au contraire, chaque fois que, s'éveillant d'un sommeil inquiet, Marcovaldo tendait l'oreille, le tic-tic-tic semblait une musique joyeuse et lui disait que la pluie, continuant de tomber doucement, nourrissait la plante, poussait la lymphe dans ses frêles pédoncules, gonflait les feuilles comme des voiles. « Demain, se disait-il, quand je me mettrai à la fenêtre, elle aura grandi. »

Pourtant, le lendemain matin quand il ouvrit la fenêtre, il n'en crut pas ses yeux : la plante bouchait maintenant la moitié de la fenêtre, les feuilles avaient au moins doublé et n'étaient plus pendantes et flasques mais bien dressées et pointues comme des épées.

Il descendit l'escalier, serrant le pot contre sa poitrine, l'attacha au porte-bagages et courut à la S.B.A.V.

La pluie avait cessé, mais le temps demeurait incertain. Marcovaldo n'était pas encore descendu de sa selle, que quelques gouttes se remirent à tomber. « Vu que ça lui fait tant de bien, je vais la laisser encore dans la cour », se dit-il.

Au magasin, il allait de temps en temps jeter un coup d'œil par la petite fenêtre qui donnait sur la cour. Cette façon de faire qui le distrayait de son travail ne plaisait pas au chef magasinier :

— Ben, qu'est-ce que t'as aujourd'hui à regarder toujours dehors ?

— Elle pousse ! Venez voir aussi, monsieur Viligelmo ! — Et Marcovaldo lui faisait signe de la main, parlant presque à voix basse, comme si la plante ne dût point s'apercevoir de son manège. — Regardez comme elle pousse ! Hein, qu'elle a grandi ?

— Oui, elle a pas mal poussé, admit le chef.

Et pour Marcovaldo, ce fut là une de ces satisfactions comme la vie de travail en réserve bien rarement au personnel.

C'était samedi. On s'arrêtait à une heure et on ne reprenait le travail que le lundi matin. Marcovaldo aurait voulu remporter la plante avec lui mais, comme il ne pleuvait plus, il ne savait quelle excuse trouver. Le ciel, pourtant, était toujours menaçant : des nuages noirs, des cumulus, se voyaient çà et là. Marcovaldo alla trouver son chef qui, passionné de météorologie, avait un baromètre accroché au-dessus de sa table :

— Comment s'annonce le temps, monsieur Viligelmo ?

— Mauvais, toujours mauvais, dit celui-ci. Du reste, s'il ne pleut pas par ici, il pleut dans mon quartier : je viens de téléphoner à ma femme.

— Alors, se hâta de proposer Marcovaldo, je vais emmener la plante faire un tour là où y pleut.

Aussitôt dit, aussitôt fait, il réinstalla la plante sur le porte-bagages de son cyclo.

Marcovaldo passa le samedi après-midi et le dimanche comme suit : caracolant sur la selle de son cyclomoteur avec la plante derrière lui, il scrutait le ciel, y cherchant un nuage qui lui semblât bien intentionné, et courait par les rues jusqu'à ce qu'il rencontre la pluie. De temps en temps, se retournant, il voyait que la plante avait encore un peu grandi : elle était aussi haute qu'un taxi, que les camionnettes, que les trams ! Et ses feuilles étaient toujours plus larges, d'où la pluie tombait sur son capuchon comme d'une douche.

A présent, c'était un arbre à deux roues qui courait par la ville, déconcertant les agents de police, les automobilistes, les piétons. Et les nuages, pour leur part, couraient sur les routes du vent, arrosant de pluie un quartier, puis l'abandonnant. Les passants tendaient alors la main et refermaient leurs parapluies, cependant que Marcovaldo, courbé sur son guidon, emmitouflé dans son capuchon d'où seul son nez dépassait, son moteur pétaradant à pleins gaz, s'efforçait de maintenir la plante dans la trajectoire des gouttes d'eau, comme si la traînée de pluie que les nuages tiraient derrière eux était accrochée aux feuilles et qu'ainsi tout courait, tiré par une force unique : vent, nuages, pluie, plante, roues.

Le lundi, Marcovaldo se présenta devant M. Viligelmo les mains vides.

— Et la plante ? demanda aussitôt le chef magasinier.

— Je l'ai laissée dehors. Venez voir.

— Où ça ? dit M. Viligelmo. Je la vois pas.

— Ben, c'est celle-là. Elle a un peu poussé...

Et il désigna un arbre qui arrivait à la hauteur du second étage. Il n'était plus planté dans son vieux pot mais bien dans une espèce de petit tonneau, et Marcovaldo avait été obligé de remplacer son cyclomoteur par un scooter de livraison.

— Et maintenant ? hurla, furieux, le chef magasinier. Comment on va la remettre dans l'entrée ? Elle passe plus sous la porte !

Marcovaldo, perplexe, haussa les épaules.

— Y a qu'une solution dit M. Viligelmo, la rendre au pépiniériste contre une autre de dimensions plus normales !

Marcovaldo renfourcha sa selle :

— J'y vais.

Il recommença de courir par la ville. L'arbre

encombrait de son feuillage le milieu des rues. Les agents de police, s'inquiétant pour la circulation, l'arrêtaient à chaque carrefour ; puis — quand Marcovaldo leur expliquait qu'il rapportait la plante au pépiniériste pour s'en débarrasser — ils le laissaient repartir. Mais, tourne, tourne, tourne, Marcovaldo ne se décidait pas à prendre le chemin de la pépinière. Le cœur lui manquait à l'idée de devoir se séparer de sa plante, de son arbre, de son enfant, maintenant qu'il l'avait si bien aidé à grandir : il lui semblait qu'il n'avait jamais eu de sa vie autant de satisfactions qu'avec cette plante-là.

Si bien qu'il continua à faire la navette des rues aux places, des places aux quais du fleuve et aux ponts. Une végétation de forêt tropicale lui couvrait maintenant la tête, les épaules, les bras, au point de le faire disparaître sous elle. Et toutes ces feuilles, tous leurs pédoncules et même la tige de la plante — qui était demeurée fort mince — frémissaient, frémissaient comme agités d'un tremblement continu, soit que des rafales de pluie tombassent sur eux, soit que les gouttes se fissent plus rares, soit qu'elles s'interrompissent complètement.

Enfin, la pluie cessa tout de bon. Le crépuscule était proche. Au fond des rues, entre les maisons, apparut une vague lueur d'arc-en-ciel. La plante, après l'impétueux effort de croissance qui l'avait soutenue tant que durait la pluie, se trouva comme épuisée. Marcovaldo, poursuivant sa course sans but, ne remarqua pas que, derrière lui, les feuilles passaient une à une du vert soutenu au jaune, un jaune d'or.

Depuis un moment déjà, et sans que Marcovaldo s'en fût aperçu, un cortège de scooters, d'autos, de vélos et de gosses s'était mis à suivre l'arbre qui traversait la ville. Tous criaient : « Un baobab ! Un baobab ! » et regardaient jaunir les feuilles avec de grands « Oooh ! » admiratifs. Quand une feuille se détachait et s'envolait, de nombreuses mains se tendaient pour l'attraper au vol.

Le vent se leva ; les feuilles d'or se détachaient en rafales, se mettaient à voltiger. Marcovaldo croyait encore avoir l'arbre verdoyant et feuillu derrière lui, quand, brusquement — peut-être bien parce qu'il ne se sentait plus abrité du vent —, il se retourna. L'arbre n'était plus là : seulement une tige fluette d'où partaient, comme des rayons, des pédoncules dénudés, avec encore une dernière feuille jaune à son sommet. Dans la lumière de l'arc-en-ciel, tout le reste paraissait noir : les gens sur le trottoir, les façades des maisons qui faisaient la haie ; et sur ce noir, à hauteur d'homme, les feuilles tournoyaient, tournoyaient, brillantes, par centaines, et des mains rouges et roses se levaient dans l'ombre, par centaines, pour les attraper ; et le vent soulevait les feuilles d'or, les poussant là-bas tout au fond, vers l'arc-en-ciel, en même temps que les mains et les cris. Ce faisant, il détacha aussi la dernière feuille qui, de jaune, devint orange, puis rouge, violette, bleu ciel, verte et de nouveau jaune. Après quoi elle disparut.

A 6 heures du soir, la ville tombait aux mains des consommateurs. Durant toute la journée, le gros travail de la population active était la production : elle produisait des biens de consommation. A une heure donnée, comme si on avait abaissé un interrupteur, tout le monde laissait tomber la production et, hop ! se ruait vers la consommation. Chaque jour, les vitrines illuminées avaient à peine le temps de s'épanouir en de nouveaux étalages, les rouges saucissons de pendiller, les piles d'assiettes de porcelaine de s'élever jusqu'au plafond, les coupons de tissu de déployer leurs draperies comme des queues de paons que, déjà, la foule des consommateurs faisait irruption pour démanteler, grignoter, palper, faire main basse. Une queue interminable serpentait sur tous les trottoirs, sous toutes les arcades des rues et, s'engouffrant à travers les portes vitrées des magasins, se pressait autour de tous les comptoirs, poussée par les coups de coude dans les côtes de chacun comme par d'incessants coups de piston. Consommez ! et ils tripotaient la marchandise, la remettaient en place, la reprenaient, se l'arrachaient des mains. Consommez ! et ils obligeaient les vendeuses pâlichonnes à étaler des sous-vêtements sur le comptoir. Consommez ! et les pelotes de ficelle de couleur tournaient comme des toupies, les feuilles de papier à fleurs battaient des ailes en enveloppant les achats pour en faire des petits paquets puis, en les groupant, des paquets moyens et, avec ceux-ci, de gros paquets, chacun d'eux ficelé avec un joli nœud. Et petits paquets, paquets moyens, gros paquets, portefeuilles, sacs à main tourbillonnaient autour de la caisse en un embouteillage qui n'en finissait plus ; les mains fouillaient dans les sacs pour y chercher les porte-monnaie, et les doigts fouillaient dans les porte-monnaie pour y chercher de la monnaie. Dans une forêt de jambes inconnues et de pans de pardessus et de manteaux, des enfants égarés, dont on avait lâché la main, pleuraient.

Un de ces soirs-là, Marcovaldo promenait sa famille. N'ayant pas d'argent, leur plaisir était de regarder les autres faire des achats ; d'autant que, l'argent, plus il en circule, plus ceux qui en sont dépourvus peuvent espérer en avoir : « Tôt ou tard, se disent-ils, il finira bien par en tomber aussi un peu dans notre poche. » Pour Marcovaldo, son salaire, étant donné qu'il était aussi maigre que sa famille était nombreuse, et qu'il y avait des traites et des dettes à payer, son salaire fondait aussitôt touché. De toute façon, tout cela était bien plaisant à regarder, surtout si l'on faisait un tour au super-marché.

Le supermarché était en libre service. Il y avait des chariots, pareils à des paniers à roulettes, que chaque client poussait devant lui et remplissait avec toutes sortes de bonnes choses. Comme les autres, Marcovaldo prit un chariot en entrant, sa femme fit de même et aussi ses quatre gosses qui en prirent un chacun. Et, se suivant à la queue leu leu, poussant leur chariot devant eux entre les rayons et les comptoirs croulant sous des montagnes de denrées alimentaires, ils se montraient les saucissons et les fromages, les nommaient, comme s'ils reconnaissaient dans la foule des visages d'amis ou pour le moins de connaissances.

— Papa, disaient à chaque instant les gosses, on peut prendre ça ?

— Non, on y touche pas, c'est défendu, répondait Marcovaldo, se souvenant que la caissière les attendait en fin de parcours pour le paiement.

— Pourquoi, alors, que cette dame-là elle en prend ? insistaient les gosses en voyant toutes ces braves femmes qui, entrées seulement pour acheter un céleri et deux carottes, ne savaient pas résister devant une pyramide de pots et de boîtes et, toc ! toc ! toc ! d'un geste mi-machinal, mi-résigné, faisaient tomber et tambouriner dans le chariot des boîtes de tomates pelées, des pêches au sirop, des anchois à l'huile.

Bref, si votre chariot est vide et que les autres sont pleins, vous pouvez tenir jusqu'à un certain point, puis l'envie vous submerge, et les regrets, et vous ne résistez plus. Alors Marcovaldo, après avoir recommandé à sa femme et aux gosses de ne toucher à rien, tourna rapidement au coin d'une allée, disparut aux yeux de sa famille et, prenant sur un rayon une boîte de dattes, la déposa dans son chariot. Il voulait seulement s'offrir le plaisir de la balader durant dix minutes, de montrer, lui aussi, ses achats comme les autres, puis la remettre là où il l'avait prise. Cette boîte de dattes, et aussi une bouteille rouge de sauce piquante, un paquet de café et des spaghetti sous cellophane bleue. Marcovaldo était sûr qu'en opérant avec adresse, il pouvait, au moins pour un quart d'heure, éprouver le plaisir de celui qui sait choisir le produit le meilleur sans devoir payer un sou. Mais, gare ! si les gosses le voyaient ! Ils se seraient mis tout de suite à l'imiter, et qui sait quelle pagaille ça aurait fait !

Marcovaldo cherchait à les semer, courant en zigzag d'un rayon à l'autre, suivant tantôt des bonniches affairées, tantôt des dames en fourrure. Et chaque fois que l'une ou l'autre tendait la main pour prendre un potiron jaune et odorant ou une boîte de crème de gruyère, il faisait de même. Les haut-parleurs diffusaient des musiquettes gaies. Les clients marchaient ou s'arrêtaient en en suivant le rythme et, au moment voulu, tendaient le bras, prenaient quelque chose et le déposaient dans leur chariot, le tout au son de la musique.

Maintenant, le chariot de Marcovaldo était bourré de marchandises ; ses pas le portaient vers des rayons moins fréquentés ; il y avait là des produits aux noms de moins en moins déchiffrables, dans des boîtes avec des dessins dont on ne comprenait pas très bien s'ils voulaient dire qu'il s'agissait d'engrais pour la laitue, ou de semence de laitue, ou de laitue proprement dite, ou de poison pour les chenilles de la laitue, ou de pâtée pour attirer les oiseaux qui mangent ces chenilles, ou bien d'assaisonnement pour la salade, ou d'épices pour lesdits oiseaux en brochette. De toute façon, Marcovaldo en prit deux ou trois boîtes.

Il progressait maintenant entre deux hautes haies de rayons. Brusquement, l'allée s'interrompait, et il y avait devant lui un long espace vide et désert éclairé par des tubes au néon qui faisaient étinceler le carrelage. Marcovaldo était là, tout seul, avec son chariot de marchandises ; et, au fond de cet espace vide, il y avait la sortie et la caisse.

Son premier mouvement fut de foncer tête baissée en poussant son chariot devant lui comme un char d'assaut, et de s'échapper du supermarché avec son butin avant que la caissière pût donner l'alarme. Mais au même moment, un chariot bien plus chargé que le sien déboucha d'une allée voisine, et c'était sa femme Domitilla qui le poussait. Un autre encore déboucha d'un autre côté, et Filippetto le poussait de toutes ses forces. C'était là un endroit où aboutissaient les allées de nombreux rayons, et de plusieurs d'entre elles surgissaient l'un ou l'autre des gosses de Marcovaldo, tous poussaient des chariots aussi chargés que des navires de commerce. Toute la famille avait eu la même idée et, maintenant, en se retrouvant, toute la famille s'apercevait qu'elle avait rassemblé un échantillonnage complet des disponibilités du supermarché.

— Papa, on est riches alors ? demanda Michelino. On va avoir de quoi manger pour un an, dis ?

— Fichez le camp ! Vite ! Eloignez-vous de la caisse ! s'exclama Marcovaldo en faisant demi-tour et en se cachant, lui et ses denrées, derrière les rayons ; puis il fonça, plié en deux comme sous un tir ennemi, pour s'aller perdre dans les rayons. Un grondement s'entendait derrière lui ; il se retourna et vit toute sa famille qui, poussant ses chariots comme les wagons d'un train, galopait sur ses talons.

— Y vont sûrement nous dire qu'y en a pour un million !

Le supermarché était grand et aussi enchevêtré qu'un labyrinthe : on pouvait y tourner durant des heures et des heures. Avec toutes ces denrées à leur disposition, Marcovaldo et sa famille auraient pu y passer tout l'hiver sans sortir. Mais, déjà, les haut-parleurs avaient interrompu leur musiquette et disaient :

— Attention ! Le magasin ferme dans un quart d'heure ! Vous êtes priés de vous rendre rapidement à la caisse !

Il était temps de se débarrasser du chargement : maintenant ou jamais. Au rappel des haut-parleurs, la foule des clients avait été prise d'une folie frénétique, comme s'il s'agissait des dernières minutes du dernier supermarché du monde tout entier, une précipitation dont on ne comprenait pas si elle visait à prendre tout ce qui se trouvait là ou au contraire à tout laisser ; bref, une bousculade inouïe autour des comptoirs et des rayons, et dont Marcovaldo, Domitilla et les gosses profitaient pour remettre la marchandise en place ou la faire glisser dans les chariots d'autres personnes. Tout cela se faisait un peu au petit bonheur la chance : le papier tue-mouches au rayon des jambons, un chou pommé avec les gâteaux. Une dame poussait une voiture d'enfant où se trouvait un nouveau-né : ils la prirent pour un chariot et y fourrèrent une fiasque de *barbera* [1].

Se séparer de toutes ces bonnes choses sans même les avoir goûtées leur fendait le cœur. De sorte que, si, au moment où ils abandonnaient un tube de mayonnaise, un régime de bananes leur tombait sous la main, ils le prenaient, ou bien un poulet rôti au lieu d'une grande brosse en nylon : avec ce système-là, plus leurs chariots se vidaient, plus ils recommençaient à les remplir.

La famille, avec ses provisions, montait et descendait par les escalators et, à chaque étage, de quelque côté qu'elle se tournât, elle se trouvait devant des passages obligatoires au bout desquels une caissière pointait une caisse-comptable crépitante comme une mitrailleuse contre tous ceux qui faisaient mine de sortir. Le va-et-vient de Marcovaldo et de sa famille ressemblait de plus en plus

1. Vin rouge du Piémont. (N.d.T.)

à celui de bêtes en cage ou de prisonniers enfermés dans une étincelante prison aux murs faits de panneaux de couleur.

En un point, les panneaux étaient démontés, et il y avait là une échelle, des marteaux et des outils de charpentier et de maçon. On travaillait apparemment à agrandir le supermarché. La journée finie, les ouvriers s'en étaient allés, laissant tout sur place. Marcovaldo, poussant ses provisions devant lui, passa par le trou du mur. De l'autre côté, c'était le noir ; il avança et sa famille suivit avec les chariots.

Leurs roues caoutchoutées tressautaient sur un sol dépavé, parfois sablonneux, puis sur un chemin de planches disjointes. Marcovaldo avançait en équilibre sur l'une d'elles, les autres suivaient toujours. Brusquement, ils virent devant eux, derrière eux, au-dessus d'eux et sous eux d'innombrables lumières disséminées dans le lointain et, tout autour, le vide.

Ils se trouvaient sur la plate-forme d'un échafaudage de bois, à la hauteur d'une maison de sept étages. La ville s'ouvrait sous eux dans un étincellement de fenêtres éclairées, d'enseignes lumineuses et d'éclairs électriques des trams. Plus haut, un ciel scintillant d'étoiles et les petites lumières rouges des antennes des stations de radio. L'échafaudage tremblait sous le poids de toute cette marchandise en équilibre instable, tout là-haut.

— J'ai peur, dit Michelino.

Une ombre s'approcha, sortant du noir. C'était une énorme bouche sans dents qui s'ouvrait, se penchant au bout d'un long cou métallique : une grue.

Elle s'abaissait vers eux, s'arrêtait à leur hauteur, sa mâchoire inférieure contre le bord de l'échafaudage. Marcovaldo pencha le chariot, fit tomber la marchandise dans la gueule de fer, et passa. Domitilla fit de même. Les gosses imitèrent leurs parents. La grue referma sa gueule sur la totalité du butin du supermarché et se redressant, avec un grincement, ramena son cou en arrière, s'éloigna. En bas, s'allumaient et tournoyaient les publicités lumineuses multicolores qui invitaient à acheter les produits en vente au grand supermarché.

Le facteur déposait chaque jour un peu de courrier dans les boîtes à lettres des locataires ; seule celle de Marcovaldo demeurait toujours vide, parce que personne ne lui écrivait jamais. Et s'il n'y avait pas eu, de temps en temps, une sommation d'avoir à payer le gaz ou l'électricité, sa boîte n'aurait vraiment servi à rien.

— Papa, y a une lettre ! crie Michelino.

— Penses-tu ! répond Marcovaldo. C'est encore une réclame !

De toutes les boîtes aux lettres pointait un bon-réclame jaune et bleu plié en deux. On y lisait que pour faire une bonne lessive rien ne valait « Blansoleil » et que, sur présentation dudit bon jaune et bleu, on en obtiendrait un petit échantillon gratuit.

Comme ces bons étaient longs et étroits, quelques-uns dépassaient des boîtes aux lettres ; d'autres étaient par terre roulés en boule ou seulement un peu froissés, parce que de nombreux locataires, en

ouvrant leur boîte, jetaient aussitôt toute cette paperasse publicitaire qui l'encombrait. En en ramassant
un peu par terre, en en tirant un peu par les fentes
des boîtes, et même en en pêchant dans celles-ci
avec un fil de fer, Filippetto, Pietruccio et Michelino commencèrent à collectionner les bons « Blansoleil ».

— C'est moi qu'en a le plus !

— Non, compte-les ! Je parie que j'en ai plus
que toi !

La campagne publicitaire de « Blansoleil » avait
touché tout le quartier, maison par maison. Et, maison par maison, les trois frères s'occupèrent aussi
du quartier, raflant tous les bons. Une concierge les
chassa :

— Sacrés gosses ! cria-t-elle. Qu'est-ce que vous
venez encore voler ici ? Je vais téléphoner à la
police, moi !

Une autre, au contraire, fut contente de leur
voir faire un peu de nettoyage en débarrassant son
entrée de toute cette paperasse qu'on y déposait chaque jour.

Le soir, les deux pauvres petites pièces de Marcovaldo étaient toutes jaunes et bleues des bons de
« Blansoleil » ; les enfants les comptaient, les
recomptaient et en faisaient des liasses pareilles à
celles que les caissiers des banques font avec les
billets.

— Papa, y en a tellement qu'on pourrait peut-
être ouvrir une laverie, non ? demandait Filippetto.

A cette époque, l'industrie des détersifs était en

pleine ébullition. La campagne publicitaire de « Blansoleil » avait inquiété les marques concurrentes. Et, pour lancer leurs produits, celles-ci faisaient aussi distribuer des bons qu'on trouvait dans toutes les boîtes aux lettres de la ville, et qui donnaient droit à des échantillons gratuits toujours plus importants.

Les gosses de Marcovaldo eurent alors fort à faire. Les boîtes aux lettres fleurissaient chaque matin comme les pêchers au printemps : des bons, avec des dessins verts, roses, bleu ciel, orangés, promettaient des lessives d'une blancheur éclatante à tous ceux qui emploiraient « Moussdor » ou « Lavlux » ou « Saponaube » ou encore « Clairlin ». Les collections de bons-réclame des gosses s'enrichissaient constamment de nouvelles classifications. Dans le même temps, leur terrain de chasse s'agrandissait, s'étendant aux entrées d'immeubles d'autres rues.

Naturellement, de telles manœuvres ne pouvaient passer inaperçues. Les gamins du voisinage ne tardèrent pas à comprendre à quelle sorte de chasse Michelino et ses frères se livraient toute la journée ; et ces bons-réclame, auxquels aucun d'eux n'avait jamais fait attention, devinrent quelque chose de très convoité. Des rivalités éclatèrent entre les différentes bandes de gamins, parce que les bons étaient ramassés dans tel secteur plutôt que dans tel autre : cela donna lieu à des contestations et à des bagarres. Puis, à la suite d'une série d'échanges et de négociations, on finit par se mettre d'accord : un ramassage organisé était plus rentable qu'une récolte anarchique. Et la chasse aux bons-réclame devint si méthodique que, dès que le petit type de « Sanoflor » ou de « Rinsvitt » faisait la tournée des entrées d'immeubles, son itinéraire était épié, suivi pas à pas, et les bons et les échantillons, récupérés aussitôt par les gosses.

Naturellement, les chefs de ces expéditions étaient toujours Filippetto, Pietruccio et Michelino, parce que c'étaient eux qui en avaient eu la première idée. Ils parvinrent même à convaincre les autres gamins que les bons-réclame appartenaient à tous et qu'il convenait de les conserver tous ensemble.

— Comme dans une banque ! précisa Pietruccio.

— Est-ce qu'on est patrons d'une laverie ou d'une banque ? demanda Michelino.

— Qu'est-ce que ça peut faire, on est million-naires !

Les gosses étaient si excités qu'ils n'en dormaient plus et faisaient des projets d'avenir :

— Y suffira de ramasser tous les échantillons et on aura un énorme stock de détersifs.

— Où on le mettra ?

— Faudra louer un magasin !

— Pourquoi pas un bateau ?

La publicité est saisonnière, tout comme les fruits et les fleurs. Au bout de quelques semaines, la sai-son des détersifs prit fin ; et il n'y eut plus dans les boîtes aux lettres que de la réclame pour les cori-cides.

— On pourrait peut-être ramasser ceux-là aussi ? suggéra quelqu'un.

Mais l'idée prévalut qu'il valait mieux s'occuper immédiatement de tirer le maximum de profit des bons-réclame de détersifs accumulés. Il fallait d'abord se rendre chez les commerçants indiqués et se faire remettre un échantillon pour chacun des bons ; mais cette seconde partie de leur programme, en apparence on ne peut plus simple, leur prit beaucoup plus de temps et se révéla infiniment plus compliquée que la première.

Les opérations s'effectuaient en ordre dispersé : un gamin à la fois chez un commerçant à la fois. On pouvait présenter trois ou quatre bons ensemble à la condition qu'ils ne fussent pas de la même marque, et si les vendeurs ne voulaient vous donner qu'un échantillon d'une seule marque et rien d'autre, il fallait leur dire :

— Ma mère, elle veut tous les essayer pour voir çui qu'est le meilleur.

Les choses se compliquaient encore quand, comme cela arrivait chez beaucoup de commerçants, on ne remettait l'échantillon gratuit qu'aux seuls acheteurs ; jamais les mères n'avaient vu leurs enfants aussi désireux d'aller faire les commissions chez l'épicier ou le marchand de couleurs.

Bref, la transformation des bons en marchandise traînait en longueur et occasionnait des dépenses supplémentaires, car les achats faits avec l'argent des mères étaient rares et les épiciers et marchands de couleurs fort nombreux. Pour se procurer des fonds il n'était point d'autre solution que de passer tout de suite à la troisième partie du programme, c'est-à-dire à la vente du détersif déjà recueilli.

Ils décidèrent d'aller le vendre à des particuliers, en sonnant à leur porte :

— Bonjour madame ! Ça vous intéresse ? Lessive parfaite !

Et ils tendaient la boîte de « Rinsvitt » ou le sachet de « Blansoleil ».

— Oui, oui, donnez. Merci ! disaient quelqu'une qui, sitôt pris l'échantillon, leur claquait la porte au nez.

— Comment ! Vous payez pas ? s'exclamaient les gamins en donnant de grands coups de poing dans la porte.

— Payer ? C'est donc pas gratuit ? Allez, fichez-moi le camp, les gosses !

Précisément, ces jours-là, des distributeurs passaient d'immeuble en immeuble pour y déposer des échantillons gratuits de différentes marques : c'était une nouvelle offensive publicitaire déclenchée par l'ensemble des fabricants de détersifs, vu que la campagne des bons-réclame s'était avérée plutôt décevante.

Chez Marcovaldo, on se serait cru dans une épicerie ou chez un marchand de couleurs, tellement ça regorgeait de « Sanoflor », de « Clairlin », de « Lavlux » ; mais on ne pouvait guère espérer tirer un sou de tout cela ; ça ne se vendait pas, ça se donnait pour rien, comme l'eau des fontaines.

Bien entendu, les distributeurs de détersifs ne tardèrent pas à entendre parler de gamins qui, suivant le même itinéraire qu'eux, allaient d'immeuble en immeuble pour y vendre ces mêmes produits qu'eux-mêmes offraient gratis. Dans les milieux commerciaux, les vagues de pessimisme sont fréquentes : on commença de dire qu'à eux qui leur en faisaient cadeau, les gens répondaient qu'ils n'avaient que faire des détersifs, alors qu'ils en achetaient à ceux qui les leur faisaient payer. Les bureaux d'études furent alertés, on consulta des spécialistes du marketing, et l'on aboutit à cette conclusion qu'une concurrence aussi déloyale ne pouvait être que le fait de gredins qui avaient volé les produits en question. La police, forte d'une plainte contre X, commença de quadriller le quartier pour mettre la main sur les voleurs et découvrir la cachette de leurs vols.

Dès cet instant, le détersif devint aussi dangereux que de la dynamite. Marcovaldo prit peur :

— Je veux même plus un gramme de toutes ces poudres chez moi !

Mais on ne savait pas où mettre tout cela, personne n'en voulait chez soi. Finalement, il fut décidé que les gosses iraient jeter tout le stock dans le fleuve.

C'était un peu avant l'aube : chargée de boîtes de « Lavlux » et de « Saponaube », une charrette à bras déboucha sur le pont, tirée par Pietruccio et poussée par ses frères ; puis une autre charrette toute semblable suivit, tirée par Ugo, le fils de la concierge de la maison d'en face, puis d'autres, d'autres encore. Ils s'arrêtèrent au milieu du pont, laissèrent passer un cycliste qui se retourna pour regarder ; puis — hop ! — Michelino commença à lancer les boîtes dans le fleuve.

— Connard ! Tu vois pas que ça flotte ! cria Filippetto. C'est la poudre qu'y faut jeter dans l'eau, pas les boîtes.

Et, des boîtes ouvertes une à une, s'échappa un mince nuage blanc que le courant paraissait absorber, qui refaisait surface en un bouillonnement de toutes petites bulles, puis qui semblait tomber au fond. « Parfait ! » Et les gosses continuaient à déverser, par dizaines de mille, des grammes et des grammes de détersif.

— Attention, là-bas ! cria Michelino en désignant un point en aval.

Après le pont, il y avait une dénivellation, et le fleuve faisait un saut. Là où le courant amorçait sa descente, les bulles ne se voyaient plus ; elles réapparaissaient après le saut mais devenues très grosses, s'enflant, se poussant d'en bas l'une l'autre, pareilles à un énorme bain de savon qui s'élevait, grossissait, grossissait, et qui était déjà aussi haut que le saut du fleuve, à une mousse blanchissante semblable à celle du blaireau d'un coiffeur. On aurait dit que tous ces détersifs de marques concurrentes s'étaient fait un point d'honneur de montrer comme ils moussaient bien : l'eau savonneuse débordait sur les quais, et les pêcheurs, qui, dès les premières lueurs du jour, se trouvaient déjà là avec des bottes imperméables, remontaient leurs lignes et filaient en vitesse.

Un souffle de brise se leva dans le ciel du matin. Une grappe de bulles se détacha de la surface de l'eau et, légère, légère, s'envola. L'aube pointait et les bulles se coloraient de rose.

— Ooooh ! s'exclamèrent les gosses en les voyant passer au-dessus de leurs têtes.

Les bulles volaient au-dessus de la ville en suivant les rails invisibles du vent, elles s'engageaient dans les rues à la hauteur des toits, en évitant toujours d'en effleurer les arêtes et les gouttières. A présent, la grappe s'était défaite : l'une après l'autre, les bulles s'étaient mises à voler pour leur propre compte, suivant chacune un chemin différent, tant pour l'altitude que pour la vitesse et l'itinéraire. Elles erraient. On aurait dit qu'elles s'étaient multipliées : et c'était vrai parce que le fleuve continuait à déborder de mousse comme un pot de lait sur le feu. Et le vent, le vent la soulevait, écumeuse, voltigeante, par paquets qui s'allongeaient, se transformaient en guirlandes irisées — les rayons obliques du soleil, ayant franchi le faîte des toits, avaient désormais pris possession de la ville et du fleuve —, en guirlandes irisées qui envahissaient le ciel au-dessus des fils et des antennes.

Des ombres noires d'ouvriers couraient aux usines sur des cyclomoteurs pétaradants, et l'essaim de bulles vert-rouge-bleu, planant au-dessus de leurs têtes, les suivait comme si chacun d'eux traînait derrière lui une grappe de ballonnets attachée par un long fil au guidon de sa machine.

Ce fut d'un tram qu'on remarqua la chose :

— Regardez ! Hé, regardez ! Qu'est-ce qu'y a donc là-haut ?

Le conducteur arrêta le tram et descendit : tous les voyageurs en firent autant et se mirent à regarder le ciel. Les vélos, les cyclos, les autos, les marchands de journaux, les boulangers et tous les passants matinaux, et parmi eux Marcovaldo qui se rendait à son travail, s'arrêtèrent à leur tour, levant tous le nez pour suivre le vol des bulles de savon.

— Ça serait pas quelque chose d'atomique, des fois ? demanda une vieille dame.

Et la peur s'empara de la foule, et ceux qui voyaient une bulle leur tomber dessus se sauvaient en criant :

— Elle est radioactive !

Mais les bulles continuaient à voltiger, irisées, et fragiles, et légères, si légères qu'il suffisait d'un souffle, « pif ! » et il n'y avait plus rien. Bientôt, la crainte disparut tout comme elle était née.

— Radioactives ? Vous rigolez ! C'est du savon. Des bulles de savon comme celles des gosses.

Et une gaieté frénétique les submergea :

— Regardez celle-là ! Et celle-là ! Et celle-là !

En fait, ils voyaient voltiger d'énormes bulles, de dimensions incroyables et qui, s'effleurant, se fondaient, devenaient doubles, triples. Et le ciel, les toits, les gratte-ciel, vus au travers de leur transparence, révélaient des formes et des couleurs jamais vues.

Par la bouche de leurs cheminées, les usines avaient commencé de cracher de la fumée noire, comme chaque matin. Et les essaims de bulles se rencontraient avec les nuages de fumée, le ciel se partageant entre des courants de fumée noire et des courants de mousse irisée. Parfois, pris dans un tourbillon de vent, on aurait dit qu'ils s'affrontaient. Durant un instant, mais rien qu'un instant, il sembla que le sommet des cheminées avait été conquis par les bulles, mais très vite il se fit un tel brassage — entre la fumée qui coinçait l'arc-en-ciel de mousse savonneuse et les bulles qui, elles, coinçaient une poussière de grains de suie — qu'on n'y comprenait plus rien. Jusqu'à ce que Marcovaldo, scrutant, scrutant le ciel, n'y voie plus du tout de bulles, mais seulement de la fumée, de la fumée, de la fumée.

18. *La ville pour lui tout seul*

La population aimait sa ville onze mois sur douze, et gare à qui la touchait : les gratte-ciel, les distributeurs automatiques de cigarettes, les cinémas avec écran panoramique, tout cela constituait autant d'attraits indiscutables et permanents. Le seul citadin dont on ne pouvait pas dire avec certitude s'il éprouvait ce sentiment, c'était Marcovaldo ; primo, il était difficile de le savoir, vu qu'il n'était guère communicatif ; secundo, il avait si peu d'importance que, de toute façon, c'était pareil.

A un certain moment de l'année, commençait le mois d'août. Alors, on assistait à un changement général des sentiments. Personne n'aimait plus la ville : ces mêmes gratte-ciel, ces passages souterrains et ces parkings adorés la veille encore, on les trouvait antipathiques et irritants. La population ne désirait plus que partir au plus vite : et, comme ça, à force de remplir les trains et d'embouteiller les autoroutes, le quinze du mois, tous étaient vraiment partis. Sauf un seul. Marcovaldo était l'unique citadin à ne pas quitter la ville.

Il alla faire un tour dans le centre, le matin. De larges et interminables rues s'ouvraient devant lui, désertes et vides de voitures ; les façades des maisons — de la haie grise des rideaux de fer baissés aux innombrables lattes des persiennes — étaient closes comme des forteresses. Durant toute l'année, Marcovaldo avait rêvé de pouvoir utiliser les rues en tant que rues, c'est-à-dire en marchant en leur milieu : maintenant il pouvait le faire, et même passer au feu rouge, traverser en diagonale et s'arrêter au beau milieu des places. Mais il comprit que le plaisir, ce n'était pas tant de faire ces choses insolites que de tout voir différemment : les rues, comme des creux de vallée ou des lits de fleuves à sec ; les maisons, comme des chaînes de montagnes escarpées, ou comme les parois d'une falaise.

Certes, qu'il manquât quelque chose, cela sautait aux yeux : mais ce n'étaient pas les files de voitures en stationnement, ou l'embouteillage aux carrefours, ou la foule se pressant à l'entrée des grands magasins, ou le petit groupe de personnes attendant sagement le tram à l'arrêt ; non, ce qui manquait pour combler les espaces vides et faire se gondoler les surfaces planes, c'était peut-être une inondation due à l'éclatement des conduites d'eau, ou la prolifération des racines des arbres de l'avenue qui descelleraient les pavés. Marcovaldo regardait attentivement autour de lui, cherchant l'affleurement d'une ville différente, une ville d'écorces, d'écailles, de grumeaux, de nervures, sous la ville de peinture et d'asphalte, de verre et de plâtre. Et voici que le pâté de maisons devant lequel il passait chaque jour se révélait être en réalité un amas de pierrailles d'un grès poreux et gris ; la palissade d'un chantier était faite des planches d'un pin encore frais avec des nœuds qui semblaient être des gemmes ; sur l'enseigne d'un gros marchand de tissus se reposait, endormie, une troupe de petits papillons blanchâtres : des mites.

On aurait dit qu'à peine désertée par les hommes, la ville était tombée aux mains d'habitants cachés jusqu'à la veille et qui, maintenant, prenaient le dessus : la promenade de Marcovaldo suivait à peu de chose près l'itinéraire d'une procession de fourmis, puis s'en voyait détourner par le vol d'un scarabée égaré, puis elle se faisait hésitante en suivant la démarche sinueuse d'un lombric. Mais ce n'étaient pas seulement les insectes et les vers qui tentaient d'occuper le terrain : Marcovaldo découvrait qu'une mince couche de moisissure se formait sur le côté nord des kiosques à journaux, que les arbustes en pot, devant les restaurants, s'efforçaient de pousser leurs feuilles au-delà du bord ombreux du trottoir. Mais la ville existait-elle encore ? Cette agglomération de matières synthétiques, où s'écoulaient les journées de Marcovaldo, se révélait être à présent une mosaïque de pierres disparates, chacune fort différente des autres tant à la vue qu'au toucher, tant par la dureté que par la chaleur et la consistance.

Ainsi, oublieux de la fonction des trottoirs et des passages cloutés, Marcovaldo parcourait les rues en zigzaguant comme un papillon, quand brusquement le radiateur d'une voiture de sport lancée à cent à l'heure passa à un millimètre de sa hanche. Moitié par peur, moitié par suite du déplacement d'air, Marcovaldo fit un grand bond puis retomba sur ses pieds, hébété.

La voiture freina avec un long miaulement, en faisant presque un tour sur elle-même ; des jeunes gens en bras de chemise en sortirent en trombe.

« Y vont me dérouiller, se dit Marcovaldo, parce que je marchais au milieu de la rue. »

Ces jeunes gens brandissaient d'étranges engins.

— Enfin on l'a trouvé ! C'est pas trop tôt ! disaient-ils en entourant Marcovaldo.

— Voici donc, dit l'un d'eux en tenant un bâtonnet argenté devant sa bouche, l'unique citadin resté en ville le quinze août. Excusez-moi, monsieur, voudriez-vous dire vos impressions aux téléspectateurs ?

Et il lui mit sous le nez le bâtonnet argenté.

Une lumière aveuglante venait brusquement de briller ; il faisait chaud comme dans un four ; et Marcovaldo était sur le point de s'évanouir. On avait dirigé vers lui les projecteurs, les caméras de télévision, les micros. Il balbutia quelque chose et, chaque fois qu'il avait dit trois mots, le jeune homme au micro surgissait, tournant ledit micro vers sa propre bouche :

— Ah ! vous voulez donc dire...

Et il se mettait à parler durant dix bonnes minutes.

Bref, on interviewa Marcovaldo.

— Et maintenant, je peux m'en aller ?

— Mais oui, bien sûr. Merci beaucoup... Attendez voir... Si vous n'avez rien d'autre à faire... et que vous voulez gagner quelques billets de mille... vous voudriez pas rester avec nous et nous donner un coup de main ?

Toute la place était sens dessus dessous : des camions de matériel, des appareils de prise de vue avec leur travelling, des accus, des installations électriques — lampes et projecteurs —, des équipes de machinistes en salopette qui flânochaient çà et là en transpirant beaucoup.

— La voilà ! Elle est arrivée, elle est arrivée !

Une vedette de l'écran descendit d'une voiture découverte hors série.

— Allons-y, les gars, on va tourner la scène de la fontaine !

Le réalisateur de l'émission *Folies du Quinze-Août* commença de donner des ordres pour la prise du plongeon de la fameuse vedette dans la principale fontaine de la ville.

Le manœuvre Marcovaldo avait été chargé de placer et de déplacer un énorme projecteur dont le pied pesait très lourd. La place tout entière bourdonnait à présent de bruits d'appareils, du grésillement des lampes, résonnait de coups de marteau sur les praticables métalliques, d'ordres hurlés... Aux yeux de Marcovaldo aveuglé et étourdi, la ville de tous les jours avait repris la place de l'autre qu'il n'avait fait qu'entrevoir durant un moment, ou peut-être seulement rêvée.

La ville des chats et la ville des hommes sont l'une dans l'autre, mais ce n'est pas la même ville. Peu de chats se souviennent encore du temps où il n'y avait pas de différence : les rues et les places des hommes étaient aussi les rues et les places des chats, et les pelouses, et les cours, et les balcons, et les fontaines ; on vivait dans un espace vaste et varié. Mais à présent et depuis plusieurs générations, les félins domestiques sont prisonniers d'une ville inhabitable : les rues sont constamment en proie au trafic mortel des voitures écraseuses de chats ; sur chaque mètre carré de terrain, là où se voyait un jardin ou un terrain vague, ou des restes de démolitions, se dressent aujourd'hui des immeubles en copropriété, des H.L.M., des gratte-ciel flambant neufs ; chaque recoin déborde des voitures qu'on y a garées ; les cours sont cimentées l'une après l'autre et transformées en garages, ou en cinémas, ou en entrepôts, ou en ateliers. Et là où s'étendait comme un haut plateau onduleux de toits bas, de cimaises, de terrasses, de réservoirs d'eau, de balcons, de lucarnes, d'avant-toits de tôle, se voit à présent la surélévation générale de toute surface vide susceptible d'être surélevée : les dénivellations intermédiaires entre le sol très bas de la rue et le sommet très élevé des duplex de grand luxe disparaissent ; le chat des nouvelles nichées cherche en vain l'itinéraire de ses pères, le point d'appui pour le souple saut de la balustrade à la corniche, à la gouttière, pour l'agile escalade des tuiles.

Mais dans cette ville verticale, dans cette ville comprimée où tous les vides tendent à se remplir et tout bloc de ciment à se fondre avec d'autres blocs de ciment, s'ouvre une espèce de contre-ville, de ville négative faite d'espaces vides entre un mur et un autre, de distances minimales, prescrites par le plan régulateur, entre deux constructions, entre l'arrière et l'arrière de deux bâtisses.

C'est une ville d'intervalles, de soupiraux, de conduits d'aération, de passages charretiers, de placettes intérieures, d'escaliers de sous-sols ; c'est comme un réseau de canaux à sec sur une planète de plâtre et d'asphalte. Et c'est à travers ce réseau que court encore, en rasant les murs, l'ancien peuple des chats.

Quelquefois, pour passer le temps, Marcovaldo suivait un chat. C'était entre une heure et trois heures, alors que tout le personnel, sauf Marcovaldo, était rentré chez lui pour déjeuner. Marcovaldo emportait son repas dans une serviette, mettait le couvert sur le coin d'une des caisses du magasin, mangeait tranquillement, fumait un *mezzo toscano*[1] et flânait çà et là, seul et oisif, en attendant de reprendre le travail. Durant ces heures-là, un chat qui passait le nez par une fenêtre était toujours une compagnie bienvenue et un guide pour de nouvelles explorations. Il avait fait amitié avec un chat tigré, bien nourri, ruban bleu clair autour du cou, logeant sûrement chez des personnes aisées. Ce chat avait en commun avec Marcovaldo l'habitude de faire un tour aussitôt après déjeuner : il en naquit naturellement une amitié.

En suivant son ami chat, Marcovaldo s'était mis à tout regarder comme au travers des yeux ronds de l'animal et, même s'il s'agissait des alentours familiers de la S.B.A.V., il les voyait sous un jour différent, comme des décors d'histoires de chats que ne pouvaient seulement parcourir que des pattes feutrées et légères. Bien que le quartier semblât pauvre en chats, chaque jour, lors de ses promenades, Marcovaldo faisait connaissance de quelque nouveau museau. Et il suffisait d'un miaulement, d'un ébrouement, d'un pelage se hérissant sur une échine arquée pour lui faire deviner les liens, les intrigues et les rivalités qui étaient les leurs. Dans ces moments-là, il croyait être déjà dans le secret de la société des félins : et voilà qu'il se sentait surveillé par des pupilles qui devenaient des fentes, guetté par des

---

1. *Mezzo toscano* (demi-toscan) : le toscan, ou *toscano*, est un cigare italien très fort. (N.d.T.)

moustaches dressées ; et tous les chats qui l'entouraient se tenaient assis, impénétrables comme des sphinx, le triangle rose du nez convergeant sur le triangle noir des lèvres ; la seule chose qui bougeait était le bout des oreilles, avec un frémissement pareil à celui d'un radar. On finissait par arriver au fond d'un très étroit passage entre des murs aveugles : et, en regardant autour de lui, Marcovaldo s'apercevait que tous les chats qui l'avaient amené jusquelà, y compris son ami tigré, avaient disparu, tous ensemble, on ne savait de quel côté, le laissant seul. Leur royaume avait des territoires, des rites, des coutumes qu'il ne lui était pas permis de connaître.

En compensation, de la ville des chats s'ouvraient des horizons insoupçonnés sur la ville des hommes : et, un jour, ce fut justement le chat tigré qui lui fit découvrir le grand Restaurant Biarritz.

Qui voulait voir le Restaurant Biarritz n'avait qu'à prendre la taille d'un chat, ou du moins marcher à quatre pattes. Le chat et l'homme tournaient de la sorte autour d'une coupole, au bas de laquelle se voyaient de petites fenêtres rectangulaires. C'étaient des lucarnes à vasistas, ouvertes, et qui aéraient et éclairaient une grande salle luxueuse. A l'exemple du chat, Marcovaldo regarda en bas. Au son des violons tziganes, des perdrix et des cailles dorées valsaient sur des plateaux d'argent tenus en équilibre par les mains gantées de blanc des serveurs en habit. Ou, plus exactement, au-dessus des perdrix et des faisans valsaient les plateaux, et au-dessus des plateaux, les gants blancs avec le parquet miroitant en équilibre instable sur les escarpins vernis des serveurs, le parquet miroitant d'où pendaient des palmiers nains en pot, des nappes, des cristaux, des seaux de vermeil pareils à des cloches avec une bouteille de champagne pour battant : tout cela vu à l'envers parce que, par crainte d'être vu, Marcovaldo ne voulait pas passer la tête à la fenêtre et se contentait de regarder la salle reflétée à l'envers dans la vitre inclinée.

Mais, plus que les lucarnes de la grande salle, ce qui intéressait surtout le chat c'étaient celles des cuisines : en regardant dans la salle on y voyait de loin et comme transfiguré ce qui, dans les cuisines, était — bien réel et à portée de patte — un oiseau plumé ou un poisson frais. Et c'était justement du côté des cuisines que le chat cherchait à entraîner Marcovaldo, soit qu'il y fût poussé par un sentiment désintéressé d'amitié, soit plutôt qu'il comptât sur le concours de l'homme pour une de ses expéditions. Marcovaldo, au contraire, ne voulait pas quitter son observatoire : d'abord parce qu'il était fasciné par le luxe de la grande salle, ensuite parce que, là, quelque chose avait attiré son attention. Tant et si bien que, vainquant sa peur d'être vu, il passait constamment la tête par la lucarne pour regarder en bas.

Dans le milieu de la salle, juste sous cette lucarne, il y avait un petit vivier de verre, une espèce d'aquarium, dans lequel nageaient de grosses truites. Un client de marque vêtu de noir, barbe noire, crâne chauve et brillant, s'en approcha. Un vieux serveur en habit le suivait, qui tenait à la main un petit filet comme s'il allait à la chasse aux papillons. Le monsieur en noir regarda les truites d'un air grave, fort attentivement ; puis il leva la main et, d'un geste lent et solennel, en désigna une. Le serveur plongea le petit filet dans le vivier, poursuivit la truite en question, la captura, et se dirigea vers les cuisines, portant devant lui comme une lance le filet où le poisson se débattait. Le monsieur en noir, grave comme un magistrat qui vient de prononcer une sentence capitale, alla s'asseoir, dans l'attente que la truite revienne sous forme de truite meunière.

« Si je trouvais moyen de jeter une ligne d'ici et de faire mordre une de ces truites, se dit Marcovaldo, on pourrait pas m'accuser de vol, tout au plus de pêche non autorisée. »

Et sans prêter attention aux miaulements qui l'appelaient du côté de la cuisine, il alla chercher son matériel de pêche.

Personne, dans la grande salle bondée du Restaurant Biarritz, ne vit le mince et long fil, que complétaient un hameçon et un appât, descendre, descendre jusque dans le vivier. Mais les poissons, à coup sûr, virent l'appât et se jetèrent dessus. Dans la mêlée, une truite réussit à mordre l'asticot : elle commença aussitôt à monter, monter, sortit de l'eau dans un frétillement argenté, voltigea au-dessus des tables dressées, des chariots de hors-d'œuvre, de la flamme bleu clair des fourneaux à crêpes Suzette, et disparut par la lucarne.

Marcovaldo avait tiré sur sa canne à pêche avec la rapidité d'un pêcheur éprouvé, si bien que le poisson rebondit sur ses épaules. La truite avait à peine touché terre que, déjà, le chat s'élançait. Et c'est entre les dents du félin qu'elle perdit le peu de vie qui lui restait encore. Marcovaldo, qui venait de lâcher sa canne à pêche pour courir ramasser le poisson, se le vit emporté sous le nez avec l'hameçon et tout. Il mit aussitôt le pied sur la canne à pêche, mais la secousse fut si violente qu'il ne lui resta seulement que ladite canne à pêche, cependant que le chat s'enfuyait avec le poisson qui traînait derrière lui le fil de la ligne. Saleté de matou ! Il avait disparu.

Mais cette fois, il ne lui échapperait pas : il y avait ce long fil qui le suivait et indiquait le chemin qu'il avait pris. Bien qu'ayant perdu le chat de vue, Marcovaldo suivait le bout du fil : voilà qu'il montait le long d'un mur, passait par-dessus un balcon, serpentait sous une porte cochère et disparaissait dans un sous-sol... Marcovaldo, à mesure qu'il avançait, découvrait des lieux et des endroits de plus en plus faits pour les chats, grimpait sur des appentis, enjambait des balustrades, parvenant toujours à repérer du coin de l'œil — peut-être une seconde avant qu'elle disparaisse — cette trace mobile qui lui indiquait le chemin qu'avait pris le voleur.

Maintenant le fil serpente le long d'un trottoir, au milieu des passants ; et Marcovaldo, courant derrière lui, est sur le point de s'en saisir. Il se jette à plat ventre, et voilà qu'il l'attrape ! Il réussit à prendre le bout du fil avant qu'il ne glisse entre les barreaux d'une grille.

Derrière cette grille à moitié rouillée et deux bouts de murs envahis de plantes grimpantes, il y avait un jardinet inculte avec, au fond, une petite villa qui semblait abandonnée. Un tapis de feuilles mortes recouvrait l'allée, et d'autres feuilles mortes encore s'entassaient sous les branches de deux platanes, formant des petites montagnes sur les parterres. Une couche de feuilles flottait sur l'eau verte d'un bassin. Tout autour du jardin s'élevaient des édifices énormes, des gratte-ciel avec des milliers de fenêtres pareilles à autant d'yeux regardant d'un air réprobateur ce petit carré de deux arbres, quelques tuiles et tellement de feuilles mortes, qui avait survécu au beau milieu d'un quartier bruyant où le trafic était intense.

Et dans ce jardin, perchés sur des colonnes, étendus sur les feuilles mortes des parterres, grimpés sur des troncs d'arbre ou des gouttières, immobiles sur leurs quatre pattes, avec la queue en point d'interrogation, assis et occupés à se laver le museau, il y avait des chats : des chats tigrés, des chats noirs, des chats blancs, des chats tachetés, des angoras, des persans, des chats comme il faut et des chats errants, des chats parfumés et des chats teigneux. Marcovaldo comprit qu'il était finalement arrivé au cœur du royaume des chats, dans leur île secrète. Et, d'émotion, il en avait presque oublié son poisson.

Il était resté pendu par la ligne à la branche d'un arbre, le poisson, hors de portée des sauts des chats ; il avait dû tomber de la bouche de son voleur par suite d'un mouvement maladroit de celui-ci pour le défendre des autres, ou peut-être bien pour l'exhiber comme une proie extraordinaire ; le fil s'était accroché, et Marcovaldo, malgré toutes les secousses qu'il lui donnait, ne parvenait pas à le dégager. Pendant ce temps, une furieuse bagarre avait éclaté parmi les chats pour attraper ce poisson impossible à atteindre ou, plutôt, pour avoir le droit d'essayer de l'attraper. Chacun voulait empêcher les autres de sauter : ils fonçaient l'un contre l'autre, se battaient en l'air, roulaient agrippés l'un à l'autre, avec des sifflements, des gémissements, des ébrouements, des miaulements atroces. Et finalement une bataille générale se déchaîna dans un tourbillonnement de feuilles mortes crépitantes.

Marcovaldo, après de nombreuses secousses inutiles, sentait maintenant que la ligne s'était dégagée, mais il se gardait bien de tirer : la truite serait tombée au beau milieu de cette mêlée de félins enragés.

Ce fut à ce moment que commença de se déverser du haut des murs du jardin une étrange pluie : arêtes, têtes et queues de poissons, et même des morceaux de mou et de fressure. Aussitôt les chats oublièrent la truite toujours accrochée et se jetèrent sur ces nouveaux morceaux. Pour Marcovaldo, c'était le bon moment pour tirer le fil et récupérer le poisson. Mais, avant même qu'il ait eu le temps de bouger, de derrière une persienne de la villa sortirent deux mains jaunes et sèches : l'une brandissait une paire de ciseaux, l'autre une poêle ; la main qui tenait les ciseaux se leva, s'approchant de la truite, la main qui tenait la poêle se plaça sous elle. Les ciseaux coupèrent le fil, la truite tomba dans la poêle, les mains, les ciseaux, la poêle disparurent ; la persienne se referma : le tout en l'espace d'une seconde. Marcovaldo n'y comprenait plus rien.

— Vous aussi, vous êtes un ami des chats ?

Une voix derrière lui le fit se retourner. Il était entouré de femmes, certaines très, très âgées, portant des chapeaux démodés ; d'autres plus jeunes, l'air de vieilles filles, toutes ayant à la main ou dans leur sac des pochettes de papier contenant des restes de viande ou de poisson ; quelques-unes ayant même apporté du lait dans des petits récipients.

— Pouvez-vous m'aider à jeter ce paquet de l'autre côté de la grille, pour ces pauvres petites bêtes ?

Toutes les amies des chats se retrouvaient à cette heure-là, autour du jardin aux feuilles mortes, pour donner à manger à leurs protégés.

— Mais, dites voir, pourquoi que ces chats y restent tous ici ? demanda Marcovaldo.

— Où voulez-vous qu'ils aillent ? Il n'y a plus que ce jardin ! Même les chats des autres quartiers viennent ici, dans un rayon de plusieurs kilomètres...

— Et même les oiseaux, ajouta une autre. Ils en sont réduits à vivre par centaines et centaines sur ces quelques arbres...

— Et les grenouilles, elles sont toutes dans ce bassin et, la nuit, elles coassent, elles coassent... On les entend même du septième étage des maisons voisines.

— Mais à qui elle est cette petite villa ? demanda Marcovaldo.

Maintenant, devant la grille, il n'y avait plus seulement ces femmes mais aussi d'autres personnes : le pompiste d'en face, des gars d'une usine, le facteur, le marchand de fruits et légumes, quelques passants. Et tous, hommes et femmes, ne se firent pas prier pour lui répondre : chacun voulait donner son opinion, comme toujours quand il s'agit d'un sujet mystérieux et très discuté.

— C'est à une marquise. Elle y habite, mais on la voit jamais....

— Les promoteurs lui ont offert des millions et des millions pour ce petit bout de terrain, mais elle veut pas vendre...

— Qu'est-ce que vous voulez qu'elle en fasse, des millions, une petite vieille comme elle et qu'est seule au monde. Elle aime mieux garder sa maison, même si elle tombe en ruine, plutôt que de déménager...

— C'est la seule surface non bâtie du centre de la ville... Elle augmente de valeur chaque année... Ils lui ont fait de ces offres !...

— Pas que des offres, non ? Tout le reste aussi : intimidations, menaces, persécutions... Vous savez, les promoteurs !...

— Et elle cède pas, elle cède pas : elle résiste depuis des années...

— C'est une sainte... Où qu'elles iraient sans elle, ces pauvres petites bêtes ?

— Vous pensez si elle s'en fiche de ces petites

161

bêtes, cette vieille radine !... Est-ce que vous l'avez jamais vue leur donner quelque chose à manger ?

— Mais qu'est-ce que vous voulez qu'elle leur donne, aux chats, puisqu'elle a rien pour elle ? C'est la dernière descendante d'une grande famille qu'est tombée dans la misère.

— Elle a horreur des chats ! Je l'ai vue les poursuivre à coups de parapluie.

— Parce qu'ils piétinaient les fleurs de ses parterres !

— Des fleurs ? Ce jardin, je l'ai toujours vu plein de mauvaises herbes !

Marcovaldo se rendit compte que les opinions concernant la vieille marquise divergeaient profondément : d'aucuns la voyaient comme une créature angélique ; d'autres comme une personne avare et égoïste.

— Et c'est pareil même pour les petits oiseaux : elle leur donne jamais une miette de pain !

— Elle leur donne l'hospitalité, comme aux autres : ça vous paraît peu ?

— Elle la donne aussi aux moustiques. Ils viennent tous d'ici, de ce bassin. L'été, ces moustiques, ils vous dévorent littéralement, et c'est la faute de cette sacrée marquise !

— Et les rats ? Cette villa, c'est un vrai nid à rats. Ils font leurs trous sous les feuilles mortes ; et la nuit, ils sortent...

— Pour ce qui est des rats, les chats s'en chargent...

— Oh ! vos chats ! Si on doit compter sur eux...

— Pourquoi ? Qu'est-ce que vous avez à leur reprocher aux chats ?

Ici la discussion dégénéra en une querelle générale.

— L'autorité devrait intervenir, saisir la villa ! criait l'un.

— De quel droit ? protestait un autre.

— Dans un quartier moderne comme le nôtre, un taudis pareil... Ça devrait être interdit.

— Mais, moi, mon appartement, je l'ai justement choisi parce qu'il donnait sur ce petit coin de verdure...

— Allons donc ! Pensez un peu au beau gratte-ciel qu'ils pourraient y bâtir !

Marcovaldo aussi avait quelque chose à dire, mais il n'en trouvait pas l'occasion. Finalement, il s'exclama tout d'un trait :

— La marquise m'a volé une truite.

Cette nouvelle inattendue fournit de nouveaux arguments aux détracteurs de la vieille dame, mais ses partisans y virent au contraire la preuve de l'indigence dans laquelle se trouvait la malheureuse aristocrate. Les uns et les autres furent d'accord sur le fait que Marcovaldo devait aller frapper à sa porte et lui demander des explications.

On ne comprenait pas bien si la grille était ouverte ou fermée à clé ; quoi qu'il en soit, elle s'ouvrait en poussant, avec un grincement lamentable. Marcovaldo se fraya un chemin entre les feuilles et les chats, gravit les marches du perron, et frappa très fort à la porte.

La persienne d'une des fenêtres — la même d'où était sortie la poêle — s'écarta un tout petit peu, et Marcovaldo entrevit un œil rond et bleu, une touffe de cheveux teints d'une couleur indéfinissable et une main sèche, sèche. Une voix disait : « Qui est là ? Qui frappe ? », et il l'entendit en même temps que lui parvenait une odeur d'huile frite.

— Moi, madame la marquise, je suis le monsieur de la truite, expliqua Marcovaldo. Je voudrais pas vous déranger : c'était seulement pour vous dire que la truite, des fois que vous le sauriez pas, c'est à moi que ce chat l'avait volée, vu que c'était moi que je l'avais pêchée. Du reste, la ligne...

— Les chats, toujours les chats ! dit d'une voix perçante et un peu nasillarde la marquise cachée derrière la persienne. Tous mes malheurs viennent des chats ! Personne ne peut imaginer ce que c'est ! Prisonnière, nuit et jour, de ces sales bêtes ! Et avec toutes les saletés que les gens jettent par-dessus le mur pour me faire enrager...

— Mais ma truite...

— Votre truite ! Qu'est-ce que vous voulez que j'en sache, moi, de votre truite ? dit la marquise en criant presque — comme si elle voulait couvrir le grésillement de l'huile dans la poêle qui sortait de la fenêtre avec une bonne odeur de poisson frit. — Comment voulez-vous que je puisse comprendre quelque chose avec tout ce qui me tombe dessus à la maison ?

— Oui, oui, mais la truite, vous l'avez prise ou vous l'avez pas prise ?

— Avec tous les dégâts que me font les chats !
Ah ! il faudrait voir ça ! Je ne réponds plus de
rien ! Si je devais vous dire tout ce que j'ai perdu !
Avec tous ces chats qui occupent ma maison et mon
jardin depuis des années ! Ma vie est à la merci de
ces bêtes ! Allez donc trouver les propriétaires pour
leur demander de rembourser tout ça, tous ces
dégâts ! Des dégâts ? Pire : une vie détruite et, moi,
prisonnière ici, sans seulement pouvoir faire deux
pas !

— Mais, faites excuse, qu'est-ce qui vous oblige
à rester ?

Dans l'entrebâillement de la persienne, on apercevait soit un œil rond et bleu, soit une bouche avec
deux dents en avant. Et durant un instant, on vit
tout le visage : Marcovaldo eut l'impression qu'il
ressemblait vaguement à celui d'un chat.

— Ils me gardent prisonnière, les chats ! Oh !
comme je m'en irais ! Je ne sais pas ce que je don-
nerais pour un petit appartement bien à moi, dans
une maison moderne, propre ! Mais je ne peux pas
sortir... Ils me suivent, ils se mettent en travers de
mon chemin, ils me font tomber ! — La voix devint
un murmure, comme si elle révélait un secret . — Ils
ont peur que je vende le terrain... Ils ne me quittent
pas... ils ne me permettent pas... Il faudrait les voir,
les chats, quand les promoteurs viennent me faire
une proposition ! Ils s'en mêlent, sortent leurs grif-
fes, ils ont même fait fuir un notaire ! Une fois,
j'avais un contrat et j'allais le signer : ils sont

entrés en trombe par la fenêtre, ils ont renversé l'encrier et déchiré tout le contrat...

Marcovaldo se souvint brusquement de l'heure, du magasin, du chef magasinier. Il s'en alla, marchant sur les feuilles mortes sur la pointe des pieds, cependant que la voix continuait à s'entendre au travers des lattes de la persienne, comme enveloppée d'un nuage d'huile frite :

— Ils m'ont même griffée... J'ai encore la marque... Abandonnée, abandonnée, oui, à la merci de ces démons...

Vint l'hiver. Une floraison de flocons blancs ornait les branches, les chapiteaux des colonnes et la queue des chats. Sous la neige, les feuilles mortes devenaient de la boue. Les chats, on les voyait peu ; les amis des chats, moins encore ; les paquets d'arêtes n'étaient remis qu'au chat qui se présentait à domicile. Depuis un bon bout de temps, nul n'avait revu la marquise. Aucune fumée ne sortait plus de la cheminée de la petite villa.

Un jour où il avait neigé, des chats étaient revenus en grand nombre dans le jardin, comme si c'était le printemps, et ils miaulaient comme par une nuit de lune. Les voisins comprirent qu'il était arrivé quelque chose : ils allèrent frapper à la porte de la marquise. Elle ne répondit pas : elle était morte.

Au printemps, des promoteurs avaient ouvert un grand chantier sur l'emplacement du jardin. Les bulldozers avaient creusé à une grande profondeur pour faire place aux fondations ; le ciment coulait dans les armatures de fer ; une très grande grue apportait des traverses aux ouvriers qui construisaient les échafaudages. Mais comment pouvait-on travailler ? Les chats se promenaient sur tous les échafaudages, faisaient tomber des briques et des seaux de mortier, se battaient au milieu des tas de sable. Quand on allait dresser une armature, on trouvait un chat perché à son sommet, et qui soufflait de rage. Des matous plus sournois grimpaient sur le dos des maçons en ayant l'air de vouloir ronronner, et il n'y avait plus moyen de les chasser. Et les oiseaux continuaient à faire leur nid dans tous les treillis métalliques, la cabine de la grue ressemblait à une volière... Et on ne pouvait pas aller chercher un seau d'eau sans le rapporter plein de grenouilles qui coassaient et sautaient...

Hiver
20. *Les enfants du Père Noël*

Il n'est pas d'époque de l'année plus agréable
ni meilleure pour le monde du commerce et de
l'industrie que celle de Noël et des semaines qui le
précèdent. On entend monter de la rue le son che-
vrotant des cornemuses ; et les sociétés anonymes,
occupées la veille encore à calculer froidement le
chiffre d'affaires et les dividendes, ouvrent alors
leur cœur aux affections et au sourire. L'unique
souci des conseils d'administration est à présent de
donner de la joie à leur prochain, en envoyant des
cadeaux accompagnés de vœux aussi bien à des
sociétés de la même branche qu'à des particuliers ;
chaque société se fait un devoir d'acheter un stock
d'articles à une seconde société pour en faire cadeau
à d'autres sociétés ; les fenêtres desdites sociétés restent éclairées fort avant dans la nuit, spécialement
celles du magasin d'emballage où le personnel fait
des heures supplémentaires pour ficeler des paquets
et clouer des caisses ; par-delà les vitres embuées,

sur les trottoirs recouverts d'une mince croûte de glace s'avancent les joueurs de cornemuse descendus, pour les fêtes, de sombres et mystérieuses montagnes ; ils font halte aux carrefours du centre, un peu éblouis par l'éclat des lumières, par les vitrines surabondamment décorées ; et, tête baissée, ils se mettent à souffler dans leurs instruments. Le son de cette musique réussit à apaiser les graves discussions d'intérêt des hommes d'affaires, lesquelles font place à une autre sorte de rivalité : qui présentera de la façon la plus plaisante le cadeau le plus remarquable et le plus original ?

A la S.B.A.V., cette année-là, le Service des Relations Publiques proposa que les étrennes destinées aux personnes les plus importantes leur fussent remises à domicile par un coursier déguisé en Père Noël.

L'idée suscita l'approbation générale des dirigeants. On acheta un costume complet de Père Noël : barbe blanche, bonnet et houppelande rouges bordés de fausse fourrure blanche, grandes bottes. On essaya le tout à différents garçons de course pour voir auquel cela irait le mieux, mais l'un était trop petit et sa barbe traînait par terre. Un autre, trop grand, n'entrait pas dans la houppelande, un autre encore était trop jeune, un autre enfin était au contraire trop vieux, si bien qu'il était inutile de le maquiller.

Cependant que le chef du Service du Personnel convoquait d'autres Pères Noël possibles venus d'autres services, les dirigeants de la S.B.A.V., s'étant réunis, cherchaient à creuser l'idée, à l'améliorer. Le Service des Relations Humaines pensait que les paquets-cadeaux destinés au personnel devaient leur être remis par le Père Noël lors d'une cérémonie collective. Le Service Commercial suggérait que l'on fasse une tournée chez les commerçants. Le Service Publicitaire désirait surtout que le nom de la maison soit bien en évidence : peut-être en accrochant à un fil quatre ballonnets portant les lettres S.B.A.V.

Tous étaient pris par l'atmosphère d'activité et de cordialité qui se répandait par la ville joyeuse et productive ; rien n'est plus beau que d'entendre couler autour de soi le flux des biens de ce monde et en même temps celui du bien que chacun souhaite aux autres ; c'est cela, surtout cela — comme nous le rappelle le son, zinzinzin, zinzinzin, zinzinzin, des cornemuses —, c'est cela qui compte.

Au magasin, les biens matériels et spirituels passaient par les mains de Marcovaldo, en tant que marchandises à charger et à décharger. Et ce n'était pas seulement en chargeant et en déchargeant qu'il prenait part à la fête générale, mais aussi en pensant qu'au fond de ce labyrinthe d'une centaine de mille de paquets l'attendait un paquet qui n'était qu'à lui seul, préparé à son intention par le Service des Relations Humaines ; et plus encore quand il faisait le compte de ce qu'il allait toucher à la fin du mois, y compris le treizième mois et les heures supplémentaires. Avec cet argent, il aurait pu, lui aussi, courir les boutiques et les grands magasins pour acheter, acheter, acheter, et faire des cadeaux, faire des

cadeaux, faire des cadeaux, comme le lui comman-
daient ses sentiments les plus sincères et les intérêts
généraux du commerce et de l'industrie.

Le chef du Service du Personnel entra dans le
magasin, tenant une fausse barbe à la main :

— Hé, toi ! dit-il à Marcovaldo, voyons un peu
de quoi tu as l'air avec cette barbe. Parfait ! C'est
toi le Père Noël. Monte au bureau avec moi, vite.
On te donnera une prime spéciale si tu fais cinquante
livraisons à domicile par jour.

Marcovaldo, déguisé en Père Noël, parcourait la
ville sur la selle d'un triporteur à moteur chargé de
paquets enveloppés dans du papier multicolore, fice-
lés avec de jolis nœuds et décorés de petites branches de gui et de houx. La barbe d'ouate blanche le
chatouillait bien un peu, mais elle protégeait sa gorge
du froid.

La première chose qu'il fit fut d'aller chez lui,
car il ne pouvait résister à la tentation de faire une
surprise à ses enfants. « D'abord, se disait-il, y me
reconnaîtront pas ; puis après, ce qu'y vont rire !... »

Les gosses jouaient dans l'escalier. Ils se retour-
nèrent à peine.

— Salut papa !

Marcovaldo fut plutôt désappointé :

— Mais... Vous voyez pas comment que je suis
habillé ?

— Et comment que tu crois que t'es habillé ?
dit Pietruccio. En Père Noël, non ?

— Et vous m'avez reconnu tout de suite ?

— C'est pas difficile ! On a même reconnu M. Sigismondo qu'était pourtant mieux déguisé que toi !

— Et aussi le beau-frère de la concierge !

— Et le père des jumeaux qu'habitent en face !

— Et l'oncle d'Ernestina, celle qu'a des nattes !

— Tous déguisés en Père Noël ? demande Marcovaldo.

Et la désillusion qui perçait dans sa voix n'était pas seulement due au fait qu'il n'avait pas épaté les gosses, mais aussi au sentiment que le prestige de la S.B.A.V. en avait, en quelque sorte, pris un coup.

— Ben, tous comme toi, comme d'habitude, avec une fausse barbe, bof !... répondirent les gosses.

Et, lui tournant le dos, ils reprirent leurs jeux.

Il s'était trouvé que les Services des Relations Publiques de beaucoup d'autres entreprises avaient eu en même temps la même idée ; et ils avaient recruté un grand nombre de personnes — pour la plupart chômeurs, retraités, camelots — afin de leur mettre la houppelande rouge et la barbe d'ouate. Les gosses, après s'être amusés les premières fois à reconnaître sous ces déguisements des gens de connaissance ou du quartier, en avaient bientôt pris l'habitude et n'y faisaient plus attention.

On aurait dit que le jeu qui les occupait les passionnait vraiment. Ils étaient assis en rond sur un palier.

— On peut savoir ce que vous êtes en train de comploter ?

— Laisse-nous tranquille, papa, y faut qu'on prépare les cadeaux.

— Les cadeaux pour qui ?

— Pour un petit pauvre. Y faut qu'on trouve un petit pauvre et qu'on y fasse des cadeaux.

— Qui c'est qui vous l'a dit ?

— C'est écrit dans le livre de lecture.

Marcovaldo était sur le point de leur dire : « C'est vous, les petits pauvres ! » mais, durant cette semaine, il s'était tellement persuadé d'être un habitant d'un pays de cocagne où tout le monde achetait, s'amusait, se faisait des cadeaux, qu'il lui semblait malséant de parler de pauvreté. Et il préféra déclarer :

— Y a plus de petits pauvres !

Michelino se leva et demanda :

— Alors, papa, c'est pour ça que tu nous apportes pas de cadeaux ?

Le cœur de Marcovaldo se serra.

— Maintenant, dit-il très vite, y faut que je fasse des heures supplémentaires, et puis je vous en apporterai.

— Tu les fais comment, tes heures supplémentaires ? demanda Filippetto.

— En livrant des cadeaux, dit Marcovaldo.

— A nous ?

— Non, à d'autres.

— Pourquoi pas à nous ? D'abord les autres...

Marcovaldo tenta de s'expliquer :

— Parce que je suis pas le Père Noël des Relations Humaines, moi, je suis le Père Noël des Relations Publiques. Vous avez compris ?

173

— Non.

— Tant pis ! — Mais comme il voulait de quelque façon se faire pardonner d'être venu les mains vides, il décida d'emmener Michelino avec lui dans sa tournée de livraisons. — Si tu me promets d'être bien sage, tu peux venir avec moi, et tu verras ton père apporter des cadeaux chez des gens, dit-il en enfourchant la selle de son triporteur à moteur.

— Allons-y ! Peut-être que je trouverai un petit pauvre, dit Michelino.

Et il monta sur la machine, en se tenant aux épaules de son père.

Dans les rues de la ville, Marcovaldo ne faisait que rencontrer d'autres Pères Noël rouges et blancs, absolument pareils à lui, qui pilotaient des camionnettes ou des triporteurs à moteur ou qui ouvraient les portes des magasins à des clients chargés de paquets ou qui les aidaient à porter leurs achats jusqu'à leur voiture. Et tous ces Pères Noël avaient un air absorbé et affairé, comme s'ils étaient chargés de l'entretien de l'énorme machinerie des fêtes de fin d'année.

Et Marcovaldo, absolument pareil à eux, consultait sa liste et courait d'une adresse à une autre, descendait de sa selle, triait les paquets du triporteur, en prenait un, le tendait à qui lui ouvrait la porte et scandait :

— La S.B.A.V. vous souhaite un bon Noël et une heureuse année.

Là-dessus, il empochait un pourboire.

Ce pourboire était parfois assez important, et Marcovaldo aurait dû en être satisfait, mais il lui manquait quelque chose... Chaque fois, avant de sonner à une porte, suivi de Michelino, il se réjouissait à l'avance à l'idée de l'émerveillement de celui ou de celle qui, venant lui ouvrir, aurait vu le Père Noël en personne devant lui ; il s'attendait à de la joie, à de la curiosité, à des remerciements. Et, chaque fois, il était accueilli comme le facteur qui apporte quotidiennement le journal.

Il sonna à la porte d'un luxueux hôtel particulier. Une gouvernante vint lui ouvrir :

— Ah !... Encore un autre paquet. C'est de qui ?

— La S.B.A.V. vous souhaite...

— Bon, bon, apportez-le par ici.

Et elle précéda le Père Noël dans un couloir qui n'était que tapis, tapisseries et vases de porcelaine d'un grand prix. Michelino, regardant de tous ses yeux, suivait son père.

La gouvernante ouvrit une porte vitrée. Ils entrèrent dans une pièce au plafond si haut, si haut, qu'il s'y dressait un sapin. C'était un arbre de Noël étincelant de boules de verre de toutes les couleurs, et aux branches duquel étaient accrochés des cadeaux et des friandises de toutes sortes. Du plafond pendaient de lourds lustres de cristal, et les plus hautes branches du sapin s'empêtraient dans ses pendeloques scintillantes. Sur une grande table, étaient disposés des cristaux, de l'argenterie, des boîtes de fruits confits et de petites caisses de bouteilles. Les jouets, éparpillés sur un grand tapis, étaient si nombreux qu'on se serait cru dans une boutique de jouets ; c'étaient surtout des engins électroniques compliqués et des modèles réduits de fusées spatiales. Sur un coin libre de ce tapis, un enfant d'environ neuf ans était allongé à plat ventre, l'air boudeur et ennuyé. Il feuilletait un livre illustré comme si tout ce qui l'entourait ne le concernait absolument pas.

— Gianfranco, lève-toi, Gianfranco ! dit la gouvernante. Tu as vu que le Père Noël est revenu avec un autre cadeau ?

— Trois cent douze, dit l'enfant sans lever les yeux de dessus son livre. Qu'il le mette là.

— C'est le trois cent douzième cadeau qui arrive, dit la gouvernante. Gianfranco est si gentil qu'il les compte, qu'il n'en oublie pas un : sa grande passion, c'est de compter.

Marcovaldo et Michelino quittèrent la maison sur la pointe des pieds.

— Papa, ce petit garçon, c'est un petit pauvre ? demanda Michelino.

Marcovaldo était occupé à mettre de l'ordre dans les paquets du triporteur, et il ne répondit pas tout de suite. Mais, au bout d'un instant, il se hâta de protester :

— Pauvre ? Qu'est-ce que tu me chantes là ! Tu sais qui c'est, son père ? C'est le président de l'Union pour le Développement des Ventes des Fêtes de Noël. Le *commendatore*...

Il s'interrompit, parce qu'il ne voyait plus Michelino — « Michelino, Michelino ! Où tu es ? » — Le gosse avait disparu.

« Il a dû voir passer un autre Père Noël, il l'aura pris pour moi et il l'aura suivi... »

Marcovaldo continua sa tournée, mais il était un peu inquiet et il lui tardait de rentrer chez lui.

Chez lui, il retrouva Michelino, bien sage, avec ses frères.

— Dis donc, toi, où que t'as été ?

— Je suis venu ici, chercher les cadeaux... Ben oui, les cadeaux pour ce petit pauvre...

— Hein ! Qui ça ?

— Çui qu'avait l'air si triste... Çui de la belle maison avec l'arbre de Noël...

— Çui-là ? Mais quel cadeau tu pouvais donc lui faire, toi ?

— Oh ! on les avait bien préparés... trois cadeaux, enveloppés dans du papier d'argent.

Ses frères intervinrent :

— On est allés les apporter tous ensemble ! Si t'avais vu ce qu'il était content !

— Que vous dites ! dit Marcovaldo. Il lui manquait plus que vos cadeaux pour être content !

— Oui, oui, nos cadeaux... Il a tout de suite déchiré le papier pour voir ce que c'était.

— Et qu'est-ce que c'était ?

— Le premier, c'était un marteau : tu sais, ce marteau tout gros, tout rond, en bois...

— Et alors ?

— Y sautait de joie ! Il l'a empoigné et il a commencé à s'en servir.

— Quoi ?

— Il a cassé tous les jouets ! Les verres, les bouteilles, les assiettes ! Puis il a pris le deuxième cadeau.

— Qu'est-ce que c'était ?

— Un lance-pierres. Si t'avais vu ce qu'il était content... Il a cassé toutes les boules de verre de l'arbre de Noël. Puis y s'est attaqué aux lustres...

— Assez, assez, je veux plus rien entendre ! Et... le troisième cadeau ?

— On n'avait plus rien à lui offrir, alors on a enveloppé une boîte d'allumettes de cuisine dans du papier d'argent, c'est le cadeau qui lui a fait le plus plaisir. Y disait : « On me laisse jamais toucher aux allumettes ! » Il a commencé à les allumer, et...

— Et ?...

— ... Il a fichu le feu partout !

Marcovaldo se prit la tête dans les mains :

— Je suis foutu !

Le lendemain, en se présentant à la S.B.A.V., il sentait couver l'orage. Il s'habilla en Père Noël, vite, vite, chargea les paquets à livrer dans son triporteur, assez surpris que personne ne lui eût encore rien dit, quand il vit venir à lui trois chefs de service : celui des Relations Publiques, celui de la Publicité, et celui du Bureau Commercial.

— Stop ! lui dirent-ils. Déchargez tout tout de suite !

« Ça y est ! » se dit Marcovaldo, se voyant déjà mis à la porte.

— Vite ! Il faut remplacer les paquets ! dirent les chefs de service. L'Union pour le Développement des Ventes des Fêtes de Noël vient de lancer une campagne en faveur du Cadeau Destructif.

— Comme ça, tout d'un coup..., commenta l'un d'eux. Ils auraient pu y penser avant...

— C'est une idée subite du président, expliqua un autre. Il paraît que son fils a reçu des articles-cadeaux d'un moderne... Japonais, je crois. Et pour la première fois on l'a vu s'amuser...

— Le plus important là-dedans, ajouta un troisième, c'est que le Cadeau Destructif sert à détruire des articles de toute sorte : exactement ce qu'il faut pour accélérer le rythme de la consommation et réanimer le marché. Tout cela en un rien de temps, et à la portée d'un enfant... Le président de l'Union a vu s'ouvrir de nouveaux débouchés, et il est fou de joie...

— Mais cet enfant, demanda Marcovaldo avec une pauvre petite voix, cet enfant, il a vraiment détruit beaucoup de choses ?

— Faire un calcul même approximatif est difficile, puisque la maison a brûlé...

Marcovaldo retourna dans la rue, illuminée comme en pleine nuit, et qui regorgeait de mamans, d'enfants, d'oncles, de grands-pères, de grands-mères, de paquets, de ballons, de chevaux à bascule, d'arbres de Noël, de Pères Noël, de poulets, de dindes, de *panettoni,* de bouteilles, de joueurs de cornemuse, de ramoneurs, et de marchands de marrons qui faisaient sauter des poêlées de châtaignes sur leur fourneau rond, noir et ardent.

Et la ville semblait plus petite, pelotonnée dans une boule de verre lumineuse, ensevelie au cœur sombre d'une forêt, parmi les troncs centenaires des châtaigniers et sous un immense manteau de neige. Quelque part dans l'ombre, on entendait le hurlement d'un loup ; le gîte des lièvres était enfoui sous la neige, dans la chaude terre rouge et sous une couche de bogues de châtaignes.

Il en sortit un levraut, blanc, sur la neige ; il remua les oreilles, courut sous la lune, mais il était blanc et on ne le voyait pas : c'était comme s'il n'existait pas. Seules ses pattes laissaient dans la neige une légère empreinte pareille à de petites feuilles de trèfle. On ne voyait pas le loup non plus, parce qu'il était noir et restait dans l'ombre noire de la forêt. On voyait seulement ses dents blanches et pointues quand il ouvrait la gueule.

Il y avait une ligne où finissait le bois tout noir et où commençait la neige toute blanche. Le levraut courait d'un côté et le loup, de l'autre.

Le loup voyait les empreintes du levraut et les suivait, mais en restant toujours sur le noir pour ne pas être vu. Le levraut devait se trouver à l'endroit où les empreintes cessaient, et le loup sortit du noir, ouvrit toute grande sa gueule rouge aux dents pointues, et mordit le vent.

Le levraut était un peu plus loin, invisible ; il se frotta l'oreille d'une patte, et se sauva en bondissant.

Est-il ici ? Est-il là ? Non, il est peut-être un peu plus loin.

On ne voyait plus que l'étendue de neige blanche. Blanche comme cette page.

Table des matières